長崎県立大学シリーズ **5**

大学と地域

University & Region

Faculty of Information Systems

情報システム学部編集委員会編

変化する情報技術と社会

―――

情報システム学部

―――

「情報革命」の時代を生きる

情報システム学部　編集委員長　**永野　哲也**

　産業革命という言葉をもう50年近く前に中学の社会の時間に習った. 18世紀中ごろから19世紀前半頃までをそう呼ぶという. 産業革命がどういうものかは, 高校生の皆さんはよく知っていることであろう. 中学生の私は, 当時としては100年以上も昔のことで既に社会はそうなっていて単に歴史の知識としてしかとらえられなかった. 産業革命という言葉は今では正式な言葉(学術的述語)であるそうだ.

　インターネットが登場して半世紀近く, 電子計算機が発明されて7,80年ほど過ぎようとしている. 電子計算機は個人ユースでパソコンとして世界中に広まり, 電話機が携帯電話からスマートフォンへと個人の必需品となった. 現在はコンピュータが世界的規模でネットワークに繋がり, あらゆるサービスが電子的に行われる時代に移行しつつある. まさに変革の時代である. 今を, 100年後の人々は何と呼ぶであろう?

　"昔は良かった", "今の若者は・・・"という言い回しを聞くことがある. 昔のどこが良かったのであろうか?昔の若者はそんなに優れていたのだろうか?昔がそんなに良かったのならなぜ今は, その昔を捨ててしまったのだろうか?スポーツの世界では新記録が更新されている. 昔の若者が成し得なかった記録を今の若者が更新している. 日本は少子高齢化と言われて久しい. 人は皆, 時間の経過とともに老いていく. ならば日本は懐古趣味だけの成長しない国になるのだろうか.

　年を取ることと, 成長することとは違う. 年長者だからといって, 若い人より賢いとは限らない. 年を重ねるとはより多くの経験をすることと等しいが, 経験から学

ばなければただ老いていくだけである．学びを止めたとき人は成長しなくなる．

「情報革命」が進行しつつある．私は，そう言いたい．とてつもなくすばらしい時代に生きていると言いたい．「情報」から学び，「情報」から発見し，「情報」から未来を見つめていきたい．

このシリーズが皆さんの学びの一助となることを期待する．

目　　次

変化する情報技術と社会

第II部 情報セキュリティ学科

第Ⅰ部
情報システム学科

芸術と技術

情報システム学科　金谷　一朗

　技術(technology)と芸術(art)が産業革命以前は同じ概念を指していたことを指摘し，それらが過去200年の間にどのように分離し，再融合の試みがなされてきたかを最新の研究事例を交えつつ紹介します．

1.ことばの定義

芸術

(1)特殊な素材・手段・形式により，技巧を駆使して美を創造・表現しようとする人間活動，およびその作品．建築・彫刻などの空間芸術，音楽・文学などの時間芸術，演劇・舞踊・映画などの総合芸術に分けられる．

(2)芸・技芸．わざ．「凡(およそ)—は，…切差琢磨の功を積まざれば，その極に至りがたし」〈読本・椿説弓張月・前〉〔漢籍にある語．近世まで主として「学芸・技芸・稽古」の意．「和英語林集成再版」(1872年)に訳語としてartと載る〕技術

技術

(1)物事を巧みにしとげるわざ．技芸．「運転—」

(2)自然に人為を加えて人間の生活に役立てるようにする手段．また，そのために開発された科学を実際に応用する手段．科学技術．〔西周(にしあまね)「百学連環」(1870〜71年)に載る語．英語mechanicalartを「器械の術」「技術」と訳した〕

—スーパー大辞林から引用．

図表1　画家と職人

　辞書から「芸術」と「技術」を引用しました．日本語には他にも「術」のつく熟語が多数あります．例えば「医術」「学術」「奇術」「剣術」「算術」「手術」「忍術」「秘術」「兵術」「魔術」「妖術(ようじゅつ)」など．「術」そのものを辞書で引くと次のように書かれています．

術

(1)わざ．技能．「—の優劣をあらそう」「身をまもる—」「蘇生—」

(2)不思議なわざ．妖術．魔術．「—にかかる」「火遁(かとん)の—」

—スーパー大辞林から引用．

　こうしてみると「術」とは人間の持つ高度な能力のうち，外部に働きかけるものであることがわかります．言い換えると，人が工夫をして，自然界に無いものを作り出すこと，あるいは自然発生しない現象を起こすことと言えるでしょう．

　このような「術」のことを，古代ローマ人たちはアルスと呼びました．英語のアート(art)の語源ですね．

　古代ローマ人たちは，人の手によるものやことを，すべてアルスと呼んでいたようです．例えば人工物は英語でアーティファクト(artifact)と呼びますが，ここにもアート(art)の文字が入っています．これも古代ローマ人たちの名残でしょう．

　一方で，古代ローマ人たちはその先輩に当たる古代ギリシア人たちからさまざ

図表2　古代ローマ人

図表3　ユピテル（ギリシャ名 ゼウス）

まなものを輸入しました．いえ，ほとんどすべてのものを輸入したと言っても良いでしょう．自分たちが持っていなかったものはそのまま取り入れ，自分たちがすでに持っていたものとは，対応表を作って取り入れました．

　例えば，古代ローマの最高神はユピテルです．ユピテルは英語のジュピター（Jupiter）の語源です．ジュピターと言えば木星，天空で太陽，月についで明るい星ですね．もちろん古代ギリシアにも最高神はいます．その名はゼウス．古代ローマ人は，ユピテルとゼウスが同じ神様だとみなしました．

　さて，アルスに対応するギリシア語はあったでしょうか？もちろんあったのです．それはテクネという単語でした．古代ギリシア語のテクネは，後に英語のテクノロジー（technology）へと受け継がれていきます．

　さて，アートとテクノロジーという2つの英単語が出てきました．それぞれ翻訳すると，芸術と技術です．

　あれ？

　同じところから出発したのに，2つの違う単語にたどり着きました．

　現在では，テクノロジーは日本語で言う「技術」のことであり，アートは日本語で言う「芸術」のことですね．正確に言うと，英語のアート（art）は日本語の「芸術」に比べればまだ「術」「わざ」と言った意味合いが残っています．例えば孫氏の「兵法」という書物は英語圏でも有名なのですが，題名は"The Art of War"（戦

争のアート)と訳されています．この場合のアートはもちろん「芸術」ではなく「技術」ですね．英語でどうしても「芸術」だけを意味したい場合はファインアート(fineart)というふうに言います．

さて，テクノロジーとファインアート，どうして2つに別れてしまったのでしょうか．

その前に，少し寄り道して，ファインアートについておさらいをしておきましょう．

図表4　孫氏

2.芸術

フランスの映画理論家リッチョット・カニュード(1877-1923)は，映画を「第7の芸術」と呼びました．1911年のことです．では第1から第6までは何なのでしょうか．カニュードは次のように述べています．

第1芸術は建築．第2芸術は彫刻．第3芸術は絵画．第4芸術は音楽．第5芸術は詩．第6芸術は演劇．

お気づきでしょうか．第1芸術から第3芸術までが空間芸術，第4芸術から第6芸術までが時間芸術でした．

カニュードはイタリア生まれのフランス人ですが，ヨーロッパに強く影響を与えた古代ギリシアの芸術観に従っていたのかもしれません．第1から第6までの芸術はすべて，古代ギリシアにありました．そして，空間芸術と時間芸術の両方の性質を併せ持つ芸術，それが第7芸術たる映画だというわけです．

カニュードはどうして，芸術を学術的に分類したのでしょうか．そもそも，芸術とは学問と関係するものなのでしょうか．

その答えは，古代ギリシアの哲学者アリストテレス(384BCE-322BCE)が出してい

図表5　リチョット・カニュード

ます．なんと紀元前4世紀のことで，日本は縄文時代だったと考えられています．アリストテレスは「万学の祖」とも言われ，論理学(現代の数学の基礎)，自然科学，芸術について膨大な業績を残しています．自然科学に関しては誤った説もかなり残しており，ガリレオ・ガリレイ(1564-1642)によって訂正されるわけですが，アリストテレスの姿勢つまり「普遍的な真理の探求」は現代の自然科学へも受け継がれています．

　そう，アリストテレスは「普遍的な真理の探求」の目を芸術にも向けたのです．

　アリストテレスの書いた「詩学」という本は第6芸術，すなわち演劇に関する教科書ですが，現在もっとも人気のある映画会社のひとつであるディズニー・ピクサーのシナリオライターもしっかり読み込んでいるほど，現代にも通用する教科書です．「詩学」の中でアリストテレスは「喜劇は観客よりも劣った者を描きなさい，悲劇は観客よりも優れたものを描きなさい」と言っています．ピクサーの映画を観てみると，同社が「詩学」に忠実なのがわかりますね．

　さて，芸術は7種類では終わりません．カニュードの時代，すでに新しいメディアによる芸術が生まれていました．すなわち，写真，ラジオ番組，TV番組などです．当時のフランス人たちはこれらをまとめて，第8の芸術と呼びました．今となっては古いメディアですが，当時は「新しいメディアの芸術」すなわち「メディア芸術」だったのです．

　ところでTVドラマは映画の延長ではないのでしょうか？筆者は京都にお住まいのある有名な映画監督に聞いてみたことがあります．監督はこう答えてくれました．「映画はな，サイレント(無声映画)から生まれたんや．TVドラマはラジオドラマから派生したもんやから，別物や．せやから，いい映画ちゅうのは[TVドラマより]少ないセリフで魅せるんや」そんな理由で，映画とTVドラマは一緒になるこ

図表6　アリストテレス

図表7　ガリレオ・ガリレイ

とがなかったのでしょう.

　ところで，現在，第8芸術を「メディア芸術」と呼ぶことはありません．それは「第11芸術」のために使われる言葉です.

　第11ですって？

　フランス人たちは第9，第10，第11芸術まで分類を考えました．第9芸術は漫画（バンド・デシネ），第10芸術はビデオゲーム，そして第11芸術が再び「新しいメディアの芸術」略して「メディア芸術」です.

　この第11芸術に関しては，この章の最後で触れることにしましょう.

3.テクノロジーとエンジニアリング

　アートもテクノロジーももともとはラテン語のアルス，ギリシア語のテクネという同じ意味の単語から生まれたのでした．その意味は「人のわざ」「人が作ったもの」という意味でした．今でも，人が作ったもののことを英語でアーティファクト（artifact）といいますが，この単語も「人が作った（arti-）」と「もの（fact）」に分解できますね.

　さて，英国で産業革命が始まる前まで，アートという語は語源通りに使われて

図表8　ジェームズ・ワットと蒸気機関

いたようです．つまり，アートと言えば「芸術」のことも「技術」のことも指していたのです．人が作ればアートだったのです．

　転機はエンジンの発明でした．エンジンはエネルギーを効率よく仕事へ変換します．特にジェームズ・ワットの考案した蒸気機関(スチームエンジン)は当時としては効率がよく，産業革命の立役者になりました．エンジン(engine)という言葉も，もともとは「能力」と言った意味だったのが，これ以降蒸気機関を指すように変わっていきます．そして，エンジンを作る人のことを「エンジニア(engineer)」(名詞)と呼び，技術上の工夫を重ねることもまた「エンジニアする(toengineer)」(動詞)と呼ぶようになりました．

　エンジンもまた人工物ですから，エンジンを作ることはアート活動だったはずです．しかし，当時のイギリス人たちはそれをエンジニアリング(engineering)と呼び，また古代ギリシア語由来の言葉であるテクノロジーとも呼びました．一方で，芸術を意味する方のアートはファインアートと呼んで区別するようになりました．

　産業革命は身の回りのものを次々と工業生産品へと変えていきました．これまで職人が手作りしていたものも「機械の不器用な手」で作られるようになりました．イギリスの詩人・思想家・デザイナであったウィリアム・モリス(1834-1896)はそれに反発して「アーツ・アンド・クラフツ運動」を起こしますが，それは世界的な流れに

は至りませんでした．
ただしアーツ・アンド・ク
ラフツ運動はその後生
まれる「工業デザイン」
の原点として歴史的に
高く評価されています．
工業デザインについて
も，後の節で触れるこ
とになるでしょう．

　また，アメリカの発
明王として知られるトー
マス・エジソン（1847-
1931）は，数々のテクノロジーを発明していますが，そのテクノロジーが新しい芸
術につながったものも多数あります．彼の発明した蓄音機は音楽を録音すること
によって音楽の聴き方を永久に変えてしまいましたし，彼の発明したキネトスコー
プは映画という第7の芸術を生み出すに至るのです．これは，テクノロジーが新
しいファインアートを作り出した好例です．

　ピクサーの監督だったジョン・ラセター（1957-）は次のように言っています．

　Art challenges technology, and technology inspires art.

　「アートはテクノロジーを刺激する．テクノロジーはアートを奮い立たせる．」

　新しいテクノロジーを取り入れたファインアートが第7芸術，第8芸術と言った新
しい表現を生んでいったと解釈すると，ラセターの言葉もすっきり理解できます．
もっとも，古い芸術である絵画や舞台だって，テクノロジーへの挑戦（challenge）
でありつづけたので，これはファインアート全体に対する言葉ともとれますね．

　なお，古代ギリシア語のテクネは，アリストテレスが指摘したとおり「自然界の
模倣」という意味が暗に込められていました．現代においてもテクノロジーとエン
ジニアリングの境目は必ずしも明確ではありませんが，古代ギリシアに文化的

図表10 トーマス・エジソンとキネトスコープ

図表11 ジョン・ラセターとトイストーリー（ピクサー）

ルーツを持つ欧米人の言葉からはどことなく「テクノロジーは自然の模倣」「エンジニアリングは人類の工夫」というニュアンスが感じられます。

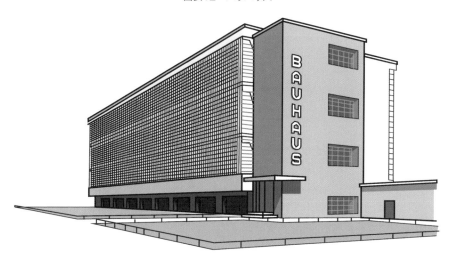

図表12 バウハウス

4.デザイン

　産業革命によってテクノロジーとファインアートに分離した本来のアートですが，同時期に起こったモリスによるアーツ・アンド・クラフツ運動によって一度は再融合が試みられたことは述べました．しかし，当時は工業機械の性能が現在ほど高くなかったこと，そもそも産業革命以前に機械生産されたものが無かったことなどから，日用品でありながら醜悪な外見を持つものばかりが生産されたようです．

　その後，画期的な出来事が起こります．バウハウスという学校の誕生です．バウハウスは工芸，写真，デザイン，建築を総合的に教育した，ドイツの大学です．1919年に開設されましたが，その14年後にナチスにより閉校させられます．

　バウハウスの教えの一つに，いま手に入る機械で作ることが出来る最高の美しさを考える，というものがあります．当時は数値制御できる工作機械なんてありませんでした．そこで，バウハウスでは定規とコンパスだけで製品の外観を設計していきました．モダンデザインの誕生です．またバウハウスでは，理論を教える教授の横に，実際に工作をする職人が立っていたそうです．（日本の大学では人件費の関係で難しいので，そのかわり僕の授業では僕自身が教授兼職人をしています．）

図表13　無印良品（良品計画）

　もし日本でバウハウスの影響を見たければ，アップル社の製品や無印良品を見ると良いでしょう．それぞれ，ジョナサン・アイブ氏，深澤直人氏というバウハウスに強い影響を受けたデザイナーがデザインを手がけています．

　バウハウスの活動期を「デザイン革命」と呼ぶ研究者もいます．産業革命から200年，デザイン革命から100年，この本を読まれている方が次の革命を起こすかもしれませんね．

5.ファインアートと数学の関係

　数学とアートは切っても切れない関係にあります．どうしてだと思いますか？

　答えはこうです．数学とは「アート」なのです．いえ，数学が芸術的であると主張したいわけではありません．数学が「人工物」であると言いたいのです．数学とは，少ない文法でどれだけ多様な表現が出来るかという，言葉を紡ぎ出す冒険なのです．

　数学は確かに自然の中に観られます．自然界の法則，つまり物理法則は数学によって記述できます．しかし，なぜでしょうか．物理法則が数学によって記述可能な必然性はどこにもありません．自然界の法則が数学で書けることを，大物理学者のアルベルト・アインシュタインは「奇跡」と呼びました．

　人工物である以上，数学にも人間の主観的な評価というものがあります．例えば，数学には「美しい」定理というものがあります．例えば「オイラーの定理」

は，物理学者リチャード・ファインマンが「人類の至宝」と呼ぶほど美しい定理です．オイラーの定理に関しては「虚数の情緒」という大変分厚い本も出版されています．

　では数学全体は「美しい」でしょうか．かつては，数学は「無矛盾である」から「美しい」と考えられていた時代もあります．確かに矛盾を抱えた理論というのは，美しくないですね．では本当に数学は無矛盾なのでしょうか？

　実は，ある数学体系が無矛盾であることを，その数学体系を使って証明することはできないことがわかっています．なので，現在では，数学が「無矛盾であるから」美しいと主張する人はほとんどいません．にもかかわらず，数学には依然美しさがあります．

　これは筆者の仮説ですが，優れたファインアートは鑑賞者に「視点を変える」機会を与えてくれます．きっと美しい数学定理もまた，観る者に視点を変える機会を与えてくれるのでしょう．例えば前述のオイラーの定理は，幾何学と解析学をつなぐ重要な式です．この式によって，人類はドラマチックに視点を変えることができるのです．

6.メディア芸術

　さて，第11芸術であるメディア芸術について最後に触れておきましょう．

　これまで読んできたとおり，テクノロジーとファインアートは不可分な関係にあります．第7芸術と呼ばれる映画が生まれるには，エジソンによるキネトスコープの登場が必要でしたし，現代ではCGテクノロジーを含むデジタル映像技術を用いない映画は考えられません．もちろん建築には石を切り出したり図面を引いたりする技術が必要ですし，絵画はケミストリー（化学）です．音楽や演劇にとなると，彫刻や絵画より強く技術の影響を受けているかもしれません．アートは常に，テクノロジーによっても新しい表現を開拓しているのです．

　現代の最先端のテクノロジーとは何でしょうか？もちろん，コンピュータテクノロジーはそのひとつでしょう．他にバイオテクノロジー，ナノテクノロジー，環境テクノロ

図表14　ゴルゴ13

（東映, SOCIÉTÉ ANONYME
CINÉMATOGRAPHIQUEIRAN）

図表15　河口洋一郎作品

ジーなどが新しいテクノロジーですね.

　コンピュータテクノロジーによって可能になったアートのひとつは，先に述べたCG映画です．また必ずしも映画という形を取らない映像アート（ビデオアート）もあります．図表15は河口洋一郎によるビデオアートの例です．従来の映像作品と一線を画していたのは，この作品がコンピュータによる「計算」によって生み出されていることです．作者もコンピュータがどのような映像を描き出すか事前にはわからないそうです.

　コンピュータテクノロジーが発達して，人間の動きにリアルタイムに反応できるようになると，アーティストたちは新たな表現を発明しました．観察者に反応するアート，インタラクティブアートです.

　初期の有名なメディアアートの例を紹介しましょう．図表16はジェフリー・ショーによる「レジブル・シティ」（1988）です．レジブル・シティは大きなアルファベットが置かれた仮想空間を自転車のペダルを漕ぎながら散策できる作品でした.

現代のコンピュータ技術を使ってよりインタラクティブ性を増した作品としては，

金澤麻由子の「ポリフォニックジャンプ」が挙げられるでしょう．この作品は，絵画を観ていると自分自身の映像が絵画の中に投影され，しかも絵画のなかの動物たちとインタラクト（相互作用）できるというものです．

　また，日常使われる家具にエンタテイメント性をもたせた作品もあります．八木澤優紀・松山真也の「fuwapica」は，腰を掛けると特定の色でひかり始めるインタラクティブなファニチャー（家具）です．

　岩田洋夫たちは，これらのアイディアを一歩すすめて，デバイスそのものがアート作品になるのではないかと考えました．図表19にそんな「デバイスアート」を紹介します．

　メディアとして使うのはコンピュータデバイスだけではありません．近年では，大腸菌を使ったアート作品もあります．バイオ「テクノロジー」がバイオ「アート」へとなっていく様子は，まさにテクノロジーとアートの再融合です．

図表16　レジブル・シティ

（ICC）

図表17　ポリフォニックジャンプ

図表18　ふわぴか

（スタジオ　マングース）

　将来はナノテクノロジーを使ったアートも観られるかもしれません．

図表19　デバイスアートの例

（岩田洋夫）

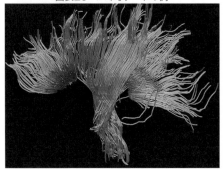

図表20　バイオアートの例

7.まとめ

　これまで，アートとテクノロジーの関係を俯瞰してきました．アート(art)の語源のラテン語のアルス(ars)は，ギリシア語のテクネ(techne)と同じ意味でした．そしてテクネは英語のテクノロジー(technology)の語源になりました．

　産業革命が同じ意味だったアートとテクノロジーを分離しましたが，その後の200年の間に何度か再融合の波がやってきています．21世紀前半の今日もまた，そのような波の季節のようです．

　この章の読者はぜひ，そのような波を捉えてみてはいかがでしょうか．

余談:リベラルアーツについて

　アート(art)という単語を使った熟語に「リベラルアーツ(liberalarts)」という語があります．日本語では一般に「教養科目」と訳されています．なぜ「科目」なのかというと，このリベラルアーツはもともとヨーロッパの大学で教えられていた「自由7科」と呼ばれる七つの科目を指しているからです．その7科目とは「人が持つ必要がある技芸(実践的な知識・学問)の基本」ということで，文法学，修辞学，論理学，算術，幾何学，天文学，音楽のことでした．

　リベラル(liberal)とはもともと「自由」という意味です．自由と言ってもいろいろありますが，リベラルの場合は「奴隷ではない」という意味です．古代ローマのローマ市民は，自由でいるためにはこの七つの学問を学ばねばならないという意識

を持っていたということですね．ちなみに，古代ローマでは兵役につくのは市民
で，奴隷は兵役につきませんでした(例外あり)．自由7科は兵士としても必要な学
問という側面もあったのかもしれません．

　なお，リベラルアーツの反対語はメカニカルアーツ(mechanicalarts)です．メカニ
カルアーツとは建築，彫刻，絵画のような空間芸術のことを指していたようです．
メカニカルアーツが「技術」と訳されたのは面白い経緯ですね．明治時代の翻訳
者は，技術をアートの意味で使っていたのですね．

新しいインタフェースで魅せる 長崎の古写真

情報システム学科　辺見　一男

　長崎は，グラバー園や大浦天主堂，浦上天主堂など多数の観光地を有し，年間を通して多くの観光客が訪れている．長崎県観光統計平成29年(1月〜12月)によると，2017(平成29)年に長崎県を訪れた観光客数は延べ3,357万人であった．長崎県の人口は135万人(平成30年1月1日現在)であるので，1年間に長崎県を訪問する観光客延べ数は人口の25倍にも達する計算である．長崎県にとって観光がいかに重要であるかをうかがい知ることができる．また，2018年7月には「長崎と天草地方の潜伏キリシタン関連遺産」が世界文化遺産に登録された．これによって，長崎はより一層多くの人々の注目を浴びることとなり，今まで以上に観光が長崎の重要な産業になると思われる．

　鎖国時代，出島は唯一海外に開かれた窓であった．海外の優れた文物や情報は出島に入り，そして，長崎を通して日本全国に広がっていった．当時の長崎は日本で最も早く海外の情報が入る先進の地であった．海外からもたらされて日本に広まった技術の一つに写真がある．写真機が初めて出島に輸入されたのは1843年と言われている．この写真機は，ダゲレオタイプと呼ばれる方式で，1839年にフランスで発明されたものである．したがって，発明からわずか4年で出島に写真機が輸入されたことになる．ただ，この写真機は日本では広まることはなく，すぐに湿版写真にとって代わられた．湿版写真は，安価に撮影できるうえに複製も可能であったので幕末の日本で広く用いられることとなった．

日本で最初のプロカメラマンと言われている上野彦馬はじめ，長崎で活躍した写真家たちによって，長崎では幕末から明治にかけて多くの写真が撮影された．これらの古写真は長崎大学附属図書館によってデータベース化されている．撮影者名や撮影場所，撮影時期などの判明している古写真についてはデータベースにそれらの情報が付与されており，利用者はキーワードによって検索を行うことができる．これらの古写真データベースは，幕末から明治期にかけての長崎の情景を伝える貴重な資料となっている．

　古写真は現在と過去をつなぐ架け橋である．長崎の町を巡り，長崎の街並みを見るだけも十分異国情緒を味わうことはできるが，古写真を見れば当時の風景や人々の生活をリアルに思い描くことができるようになる．大浦天主堂に行き，その前に立って天主堂の尖塔を見上げると歴史の重みを感じることと思う．もしその場に大浦天主堂が創建された時の古写真があれば，中央の尖塔の両脇に，左右1本ずつの尖塔が立っていることに気付くだろう．創建当時は3本あった尖塔がなぜ1本になったのか．何があったのか．古写真は見る人のイメージを大きく膨らませてくれ，観光の楽しみを倍加させてくれるはずである．

　我々の研究室では，主としてヒューマンインタフェースの研究を行っている．ヒューマンインタフェースとは，広義には人と物との関わり方のことを指すが，コンピュータが広く普及するようになってからは，人とコンピュータとの関わり方を指すことが多い．「ヒューマンインタフェースに関する研究」とは，「コンピュータを使いやすくする研究」，あるいは，「今までにないコンピュータの使い方を提案する研究」と言うことができる．本稿では，ヒューマンインタフェースやインタフェースという言葉を混在させているが，両者は同じ意味で使っている．これまでにさまざまなインタフェースを研究してきたが，その中には長崎の古写真を活用したものも含まれている．本稿では，古写真を用いて行ってきた研究の一端を紹介したい．本稿で紹介したインタフェースは，全てWebカメラで撮影した映像を処理することによってインタフェースを構築したものである．このタイプのインタフェースは，スイッチやタッチパネルなど，実際の「物」に触れないで，非接触で操作を行え

るという特徴がある．また，このインタフェースはガラス越しにでも操作ができるので，ショーウインドウの中に入れてあるシステムを外部から操作できるという点も大きな特徴の一つである．ここでは，個々の技術の詳細に触れることはしないで，我々が開発したシステムを使えば何ができるかということを中心に解説したいと思う．ここで取り上げるインタフェースは，コンピュータ上で何らかの動きをするものばかりである．動かなければシステムの魅力はなくなってしまう．紙面で動きを伝えるのは大変難しいが，連続写真を多く取り入れるなど，少しでも我々が作ったシステムの魅力を伝えられるように心がけた．

1. スクロールで古写真を見せる

　Webカメラで人の姿を撮影し，画像処理によって人の動いた方向を検出して，古写真をスクロールしながら順番に切り替えることができるシステムである．

　Webカメラの前で手を左から右に振れば，写真が右方向にスクロールしながら順番に切り替わり，逆に手を右から左に振れば，写真が左方向にスクロールしながら順番に切り替わる．分割して撮影されたパノラマ写真を1枚の写真のようにスクロール表示させるのに最適なシステムである．単に，パノラマ写真をスクロールさせるだけでなく，人がスクロールの方向を制御できる点が大きな特徴である．

　古写真が撮影された当時，すでにパノラマ撮影のアイデアが実現されていた．その中から，明治時代の長崎市街を撮影したパノラマ写真を使用した(図表1参照)．これらの写真は，風頭山から長崎市街中心部をパノラマ撮影した写真で，3枚構成となっている．3枚の古写真にタイトルページを加え，合計4枚の写真がスクロールしながら，長崎の街並みを見渡すことができるようなシステムとした．

図表1　システムで用いたパノラマ写真

(a)表紙

(b) 長崎のパノラマ（3枚続きパノラマの1）

(c) 長崎のパノラマ（3枚続きパノラマの2）

(d) 長崎のパノラマ（3枚続きパノラマの3）

　写真のスクロールを開始させるには，左右に手を振ることによって行う．写真を右から左にスクロールさせたいときの動作例を図表2に示す．逆に，左から右にスクロールさせたい場合は，手を左から右に振れば良い．ただし，このシステムは，手の動きだけではなくて体の動きに対しても反応するので，人が歩いている動きでもスクロールをさせることができる．歩いてきた人に反応して，写真が自動的にスクロールを始めるという意外性も狙った作りにしてある．

図表2　右から左にスクロールさせたいときの動作例

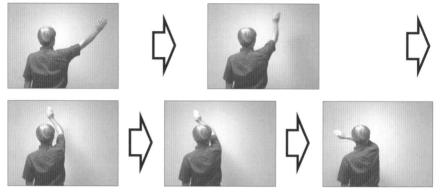

　利用者が図表2のように動いた時，古写真がスクロールする様子を図表3に示す．初期状態では，「Nagasaki Panoramic Photograph」というタイトル画面が表示されており，人の動きを検出すると右から左に滑らかにスクロールを始める．最後の古写真まで達すると，また最初のタイトル画面に戻り，スクロールを続けるようにしてある．また，スクロールの途中で，反対方向の人の動きを検出した場合は，現在表示されている状態から，そのままスクロール方向を切り替えるようなっている．

図表3　古写真がスクロールする様子

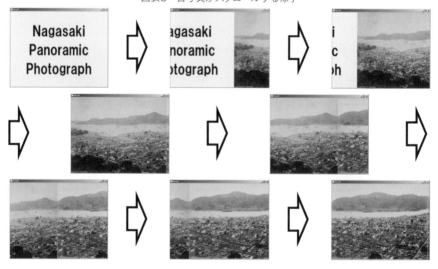

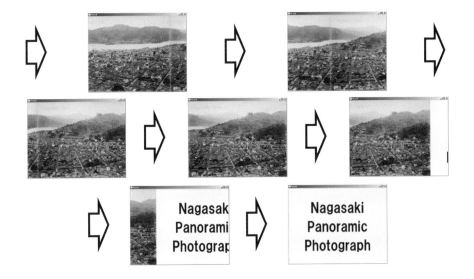

2.キューブの回転で古写真を見せる

　キューブ（立方体）の垂直面（4面）に古写真を貼り，キューブが回転するたびに別の古写真が表示されるシステムである．キューブの左右には矢印が表示されており，この矢印を手で触れることによりキューブが90度回転し，そこで停止する．図表4にシステムの表示画面を示す．画面にはキューブに貼り込んだ古写真が表示される．同図では平面に見えているが，キューブを正面から見た状態である．古写真の両脇には右向きと左向きの矢印が表示されている．この矢印に触れれば，キューブが90度回転し次の古写真が表示される．

　画面の左右に表示されている矢印はスイッチの働きをする．ただし，タッチパネルのような接触型のスイッチではなく，空中に設定した仮想的なスイッチである．Webカメラで人の映像を撮影し，画像処理によりスイッチ領域内に手が入ったかどうかの判定を行っている．我々はこのスイッチを「空間スイッチ」と呼んでいる．「空間スイッチ」は画像処理により，ソフトウェアでスイッチのON/OFFを判定している．このため，空間スイッチの位置やサイズをいつでも変更することができる．この例では，矢印の位置（空間スイッチの位置）は固定してあるが，利用者の体格

図表4　システムの表示画面

立方体に貼り付けた古写真

左回転用空間スイッチ　　右回転用空間スイッチ

に合わせて自動的に位置を上下させることも可能である．また，このスイッチはWebカメラの画像を処理することによってON/OFFの判定を行っているので，非接触で操作を行うことが可能となる．

　このシステムで切り替えることができる古写真は4枚である．4枚の古写真は，諏訪神社の入り口から，徐々に内部に入っていくような古写真を選んである．図表5にシステムが動作している様子を示す．左矢印にタッチすると，キューブは左方向に90度回転して停止し，2枚目の古写真が表示される．この図では，90度回転して停止した後に，再度左矢印にタッチして回転を続けさせている．キューブが左回転するたびに，諏訪神社の入り口から徐々に内部に入っていく様子を体験することができる．図表5は，左矢印にタッチした場合の動きを示しているが，右矢印にタッチした場合は，キューブが右方向に90度回転するようになっている．

図表5　システムが動作している様子

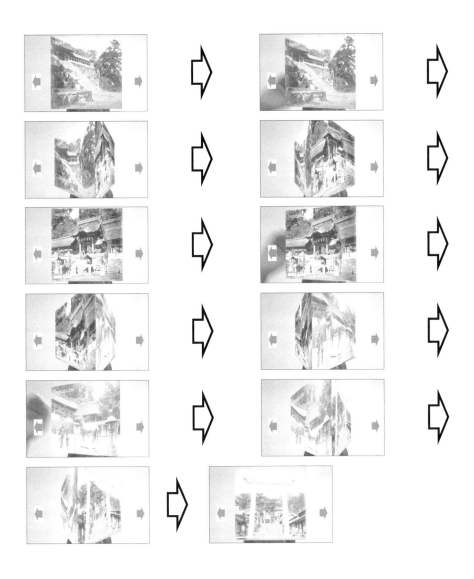

　図表6にシステムで使用した古写真を示す．図表6(a)は，諏訪神社の大鳥居，
図表6(b)は，諏訪神社の長坂，図表6(c)は，諏訪神社旧中門，図表6(d)は，諏
訪神社の青銅馬である．図表6(d)の青銅馬は戦時中に軍に供出されて今は
残っておらず，当時の諏訪神社境内の貴重な写真である．

図表6　システムで使用した古写真

（a）諏訪神社の大鳥居

（b）諏訪神社の長坂

（c）諏訪神社旧中門

（d）諏訪神社の青銅馬

3. アイコンタッチで古写真を見せる

図表7　システム起動時の画面表示例

アイコン
（OURA CHURCH）

アイコン
（URAKAMI CATHEDRAL）

OURA
CHURCH

URAKAMI
CATHEDRAL

システムの利用者

　画面にアイコンを表示し，そのアイコンに触れると古写真が拡大しながら現れるシステムである．図表7にシステム起動時の画面表示例を示す．画面の上部にはアイコンが2つ表示されている．それぞれのアイコンは大浦天主堂と浦上天主堂の古写真にリ

図表8 「OURA CHURCH」アイコンにタッチした時の動作

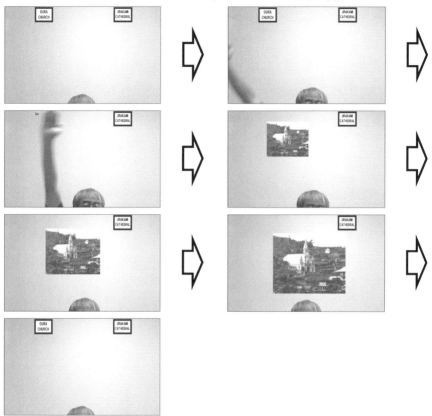

ンク付けをしてある. また, 表示される古写真を判別できるように, 各アイコンに
は, 「OURA CHURCH」と「URAKAMI CHATHEDRAL」の文字を表記してあ
る. これらのアイコンも「空間スイッチ」で作られているので, ディスプレイにタッチ
する必要はなく, 非接触で操作を行うことができる.

　アイコンにタッチした時に古写真が拡大される様子を図表8に示す. この図は,
左側の「OURA CHURCH」アイコンにタッチした時の様子である. アイコンにタッ
チすると古写真がズームされながら(拡大されながら)表示され, 最大サイズまで拡
大された後, 一定時間停止する. 停止した後は, 急速に縮小して元の位置に戻

る．ズームに要する時間は5秒，拡大された古写真が表示されている時間は2秒に設定した．このシステムでは，古写真を鑑賞できるように，ズーム時間や停止時間を少し長めに設定してある．図表8は，左側の「OURA CHURCH」アイコンにタッチした時の様子を示しているが，右側の「URAKAMI CHATHEDRAL」にタッチした時は，浦上天主堂の古写真が拡大表示されてくる．現在は，2つのアイコンだけを表示しているが，アイコンの数を増やせば商品の表示システムとして活用できる．

　図表9にこのシステムで使用した古写真を示す．ここで用いた古写真は，大浦天主堂と浦上天主堂の2枚である．現在の大浦天主堂は尖塔が1本しかないが，創建時は3本の先頭を有していた．図表9(a)の写真は尖塔が3本あるので改修前の大浦天主堂である．ここで用いた大浦天主堂の古写真は，長崎大学が所蔵する大浦居留地から見た大浦天主堂(目録番号: 5388)から，大浦天主堂部分をトリミングして用いた．

図表9　システムで使用した古写真

(a)大浦天主堂　　　　　　　　　　　　　　(b)浦上天主堂

4.映像効果で古写真を見せる

　人が動くと，動いた点に粒子を出現させ，古写真の上に重ねて表示するシステムである．このシステムはインタラクティブデジタルサイネージに関する研究成果を活用したものである．粒子のことはパーティクル(Particle)という．

　人が動いた時，動いた部分のみを取り出した映像は図表10(a)のようにな

 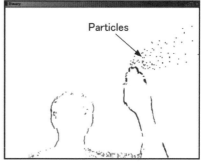

(a)動きのあった部分のみを取り出した画像　　(b)パーティクルが噴き出す様子

る．この画像のことを差分画像と呼んでいる．このシステムは，図表10(a)の差分
画像の最も上の部分(噴出点と呼ぶ)からパーティクルが噴き出すようにした．噴出
点からパーティクルが噴き出す様子を図表10(b)に示す．同図では，手の先から
パーティクルが噴き出していることがわかる．

　パーティクルが自然な動きをするように，全てのパーティクルに対して以下の要
素(パラメータ)を変更できるようにした．

・初速度と方向

・初速度の減少率

・生成個数

・消失までの時間(寿命)

・風の向きと強さ(パーティクルが流される方向と速度)

これらのパラメータを変更することにより，桜の花びらが乱舞する様子や雪片
が上から下にゆっくりと降る様子などを表現することができる．

　図表10(b)に示したパーティクルは単なる点であるが，このシステムでは，パー
ティクルをイラストで表現できるようにしてある．しかも，9枚のイラストを順次切り
替えて表示できるので(アニメーションをさせることができるので)，桜の花びらや雪片が
自然に動く様子を表現することが可能である．また，イラストの大きさは自由に変
更することができる．

このシステムで用いた桜の花びらのイラストを図表11(a)に，雪片のイラストを図表11(b)に示す．図表11(a)の桜の花びらは4倍に拡大（原図は10×10ピクセル），図表11(b)の雪片は8倍に拡大（原図は7×7ピクセル）してある．9枚のイラストを順次切り替えて表示することにより自然な動きを実現している．図表11のイラストは背景が黒く塗られているが，システムで表示する際は，黒色部分は透明化され，古写真がそのまま表示されるので不自然な表示になることはない．

図表11　パーティクルに割り当てたイラスト

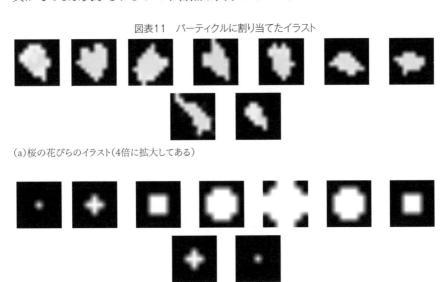

(a)桜の花びらのイラスト（4倍に拡大してある）

(b)雪片のイラスト（8倍に拡大してある）

図表12にこのシステムで用いた古写真を示す．図表12(a)はカルルス中川で撮影された桜の風景である．カルルス中川とは長崎市中川（蛍茶屋の近く）の桜の名所のことを指す．「カルルス」という名前は，このあたりの風景が，チェコとドイツの国境にあるカルルスバードに似ていることから名付けられたと言われている．図表12(b)は，冬の長崎市街を写した古写真（長崎市内から冬の立山と風頭方面を撮影）である．カルルス中川の古写真には図表11(a)の桜の花びらのイラストを，冬の長崎市街の古写真には図表11(b)の雪片のイラストを重ねて表示した．

図表13に，カルルス中川の古写真に桜の花びらが飛び散る様子を示す．噴出

図表12　システムで用いた古写真

(a)カルルス中川の桜

(b)冬の長崎市街

点から桜の花びらが吹き出し，画面全体に広がっていく様子がわかる．花びらに
このような動きを与えるために，パーティクルの初速度を大きく，初速度の減少率
を小さく，また，風が水平方向に強く吹くように設定した．

図表13　桜の花びらが飛び散る様子

　図表14に，冬の長崎市街の古写真に雪片が舞う様子を示す．上部から降り出
した雪片が徐々に下に降っていく様子がわかる　雪片にこのような動きを与える
ために，パーティクルの初速度を小さく，初速度の減少率を大きく，また，風が垂
直方向(上から下)に弱く吹くように設定した．

図表14 雪片が降る様子

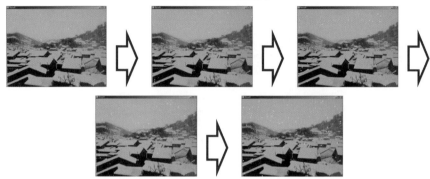

5.ARで古写真を見せる

　AR(Augmented Reality)で古写真を表示するシステムである．カメラにARマーカーをかざすと古写真が表示される．ARの表示部分にはARToolKitを用いた．ARToolKitは，奈良先端科学技術大学院大学の加藤博一教授によって開発された．2001年よりARToolworks社が商業ライセンスの販売を行っていたが，2015年にARToolworks社がDAQRI社に吸収され，その際にARToolKitはオープンソース化された．さらに，2017年よりARToolkitXオープンソースプロジェクトに引き継がれ，現在に至っている．

　このシステムで用いたARマーカーを図表15(a)と図表15(b)に示す．それぞれのマーカーには「KOFUKUJI TEMPLE」，「NAGASAKI PREFECTURAL

図表15　システムで用いたARマーカー

(a)麹屋町通りから見た興福寺表示するためのARマーカー　　(b)長崎県庁を表示するためのARマーカー

OFFICE」という文字を入れ，これらをカメラにかざすと，麹屋町通りから見た興福寺の写真と長崎県庁の古写真を表示できるようにした.

　通常のARでは1枚のマーカーに対して1枚の写真が対応するが，このシステムでは1枚のマーカーで2枚の写真を表示することができるようにした. カメラにかざすマーカーの角度を変えることによって写真を切り替えることができる. 1枚のマーカーで2種類の写真を切り替えることができるので，現在の写真と過去の写真を比較して見比べるような用途に用いることができる.

　そこで，このシステムでは2つの応用例を示す. 1番目の応用例では，同じ場所で撮影された，現在の長崎市内の町並みと，幕末の長崎市内の町並みを比較できるようにした. 現在の麹屋町通りは幕末の麹屋町通りとほぼ位置が変わっていない. 幕末にベアトが撮影した麹屋町通りの古写真が残っているので，この古写真と，現在の麹屋町通りの写真を切り替えて比較することができるようにした. 図表16にシステムの実行結果を示す. 図表16(a)では，カメラにARマーカー

図表16　ARで表示した麹屋町通りから見た興福寺

(a)現代の麹屋町通り

(b)江戸時代の麹屋町通り

を垂直にかざしており，この場合は現在の麹屋町通りの写真が表示される．図表16(b)では，同じARマーカーを下に向けてかざしており，この場合は，ベアトが撮影した古写真が表示される．ARマーカーをかざす角度を変えるだけなので，瞬時に現在の麹屋町通りと幕末の麹屋町通りを比較することができる．

　2番目の応用例では，初代の長崎県庁舎と，その県庁舎が台風で破壊された後の様子を比較するようにした．初代の長崎県庁舎は，明治7年(1874)7月28日に完成したが，同年8月20日に長崎地方を襲った風速60メートルの台風で倒壊してしまう．わずか1ヵ月弱の命であった．

　図表17にシステムの実行結果を示す．図表17(a)では，カメラにARマーカーを垂直にかざしており，この場合は初代の長崎県庁舎の古写真が表示される．図表17(b)では，同じARマーカーを下に向けてかざしており，この場合は，台風で倒壊した後の古写真が表示される．ARマーカーをかざす角度を変えるだけで，倒壊前と後の写真を比較することができる．

図表17　ARで表示した長崎県庁舎の古写真

(a)初代長崎県庁舎

(b)台風で崩壊した長崎県庁舎

6. おわりに

　本稿では，古写真という19世紀の先端技術を，現代の先端技術で魅せる試みについて述べてきた．幕末から明治に撮影された古写真と現代の先端技術を組み合わせることによって新しい楽しみ方を提案できたのではないかと思う．

　グラバー園や大浦天主堂などの観光地は誰からも注目される重要な資産であるが，古写真はこれまであまり注目されてこなかった．しかしながら，古写真は現代の街並みと相まみえることで，より一層それぞれの価値を高め合う存在であると感じている．それだけの魅力が古写真には内在していると思う．

　我々の研究室では，これからも，長崎の古写真が持っている魅力を引き出し，長崎の観光振興に役立つ研究を続けていきたいと考えている．

謝辞

　本稿で紹介したシステムでは多くの長崎の古写真を用いているが，これらの古写真は全て長崎大学附属図書館が所蔵するものをお借りした．古写真の利用を快諾していただいた長崎大学に感謝いたします．

　また，長崎外国語大学新長崎学研究センターの姫野順一教授には，古写真に関して貴重な助言を数多くいただきました．深く感謝いたします．

参考文献

長崎県(2017)「長崎県観光統計平成29年(1月〜12月)」．

長崎県(2017)「平成29年長崎県異動人口調査結果」．

長崎大学電子化コレクション.http://www.lb.nagasaki-u.ac.jp/siryo-search/ecolle/

鳥原学(2013)「日本写真史(上)」中公新書．

姫野順一(2009)「龍馬が見た長崎―古写真が語る幕末開港―」朝日新聞出版

八幡政男(1976)「幕末のプロカメラマン　上野彦馬」白馬書房．

辺見一男(2014)「空中操作インタフェースのインタラクティブデジタルサイネージへの応用,第35回日本人間工学会九州支部大会」pp.25-26,．

ARToolkitX, http://www.artoolkitx.org/

辺見一男(2012)「TVカメラを用いたインタラクティブな映像表現手法の提案,第31回計測自動制御学会九州支部学術講演会」pp.155-156．

観光と情報技術

情報システム学科　吉村　元秀

　海外からの訪日外国人数が2,400万人を突破する中，観光情報の提供のあり方を情報技術的な視点から考える必要がある．観光情報を提示する観光アプリケーションの製作について実例を紹介する．

1.観光情報学について

　「観光情報学」ということばを聞いたことがあるだろうか．高速なインターネット通信網が張り巡らされ，スマートフォンやモバイル端末が急速に普及し，誰でも，いつでも，どこでもネットにつながることができると言っても過言ではない現代において，人々が個々の嗜好に基づき多様な観光をし，それらの情報をFaceBookやTwitter，InstagramなどのSNS(Social Network Service)にアップロードする．昨今，旅行者は，旅行「前」に観光地，交通手段，宿泊場所，飲食地に関する情報収集を行うことが当たり前となっている．旅行「中」は，スマートフォン上の地図アプリケーションや乗換案内アプリケーション，さらには現地の観光案内アプリケーションを利用して，現在地をリアルタイムに把握しながら目的地を目指しつつ，効率よく寄り道することも可能である．移動中も含めて観光ルート上で撮影した写真をもとに簡単な記事をTwitterにアップロードできる．旅行「後」は，撮影した写真などを整理してInstagramに投稿したり，旅行記をFaceBookに投稿することで，別の旅行者にとって有益な情報となるループが生まれている．簡単に言うと，観光情

報学は，この旅行の「前」，「中」，「後」の旅行者のループに隠れている嗜好や行動を抽出，分析し，多種多様な旅行者に対して適切に情報を提供する観光サービスのあり方を考える学問といえる．ここでは，「旅行前」，「旅行中」における情報提供についての簡単な話題を観光情報学的な視点で提供する．各事例では，アプリケーション開発の発想のもととなる時代背景について説明するとともにアプリケーションの概要を解説し，アプリケーションの動作検証について述べる．ものづくりの手順や流れについて知る機会として欲しい．

2.映像を用いた観光情報の提供について

コンピュータの発展とインターネットの高速化にともなって膨大なデータの取り扱いが容易になり，従来の紙面上の地図では実現不可能であった高度な地理情報システムの利用が可能になってきている．近年では，スマートフォンでもできるWeb上の地理情報システムが一般社会に普及し，仕事での利用だけでなく，旅行などのレジャーも含めて日常生活に深く浸透している．このようなシステムとしては，Google Inc. が提供するGoogleマップ[1]や株式会社マピオンが提供するMapion[2]，株式会社ゼンリンが提供するいつもNAVI[3]などがあり，日本全国の地図や住所の検索，ルートが容易に検索できる．駅，施設，観光スポットを検索してルートを指定すれば，旅程のおよその所要時間を簡単に確認できる．中でも，Googleは，地図上のさまざまな場所を手軽に確認できる画期的なサービスを展開しており，それらの中にストリートビュー（Googleマップインドアビューも含める）がある．ストリートビューは，2007年に開始され，GoogleマップとGoogle Earth上で利用することができる機能である．利用可能な地域に黄色の人型のアイコン（以下Pegmonとする）を地図上にドラッグするとストリートビューが利用可能な道が青色で表示され，そこにPegmonをドロップすると周囲の風景を確認できる．ストリートビューは，これから向かう場所を事前に確認したり，旅行の行程をチェックしたり，普段行けないようなところをバーチャルに散歩してみたりとさまざまな使い方ができる．しかし，確認できるのは，そこに写っている風景や街並みのみであり，表

示される風景の中をクリックにより進むことはできるが，表示されるのは各地点に
おける静止画像のみであり，臨場感が不足している．インドアビュー（旧おみせフォ
ト）は，2010年5月に開始された店内版ストリートビューであり，現在は，ストリート
ビューの一部となっている．ストリートビューでは外の風景を確認できたが，インド
アビューでは店舗やレストランなどの店内を360度のパノラマ写真で見渡すこと
ができる．屋外のストリートビューとほぼシームレスに繋がっており，外観と内観も
容易に視認できるということで，実際に行かなくてもお店の内外の雰囲気を確認
することができる．

　長崎ではストリートビューを活用してハウステンボス場内を可視化しているが，
県内を見渡すとまだまだ可視化の事例が少ない．ここ数年，長崎では市街地の
再生・活性化のためのさまざまな試みが実行されており，その中に浜んまち商店
街という愛称で呼ばれる浜の町アーケードが含まれている．浜の町アーケードは，
長崎市を代表する商店街であり，市街地の周辺が山に囲まれているという地形
的要因から郊外型の大型商業施設が少なく，他の都市がシャッター通り化して
いる中においては比較的賑わいを見せている．だが，近年，人口減少や2000年
に大波止に夢彩都，長崎駅前にアミュプラザ長崎，2008年には茂里町にみらい
長崎ココウォークと相次いで大型商業施設が進出した影響で，商店街は商店数，
売上高ともに減少傾向にある．

　これらのことを踏まえて，ここでは，Googleマップを用いた浜んまちまちぶらオ
ンラインマップを構築することとし，長崎市の浜の町アーケード周辺を対象とした
映像アーカイブシステムについて事例紹介する．本システムはインターネットの
Webサイト上で動作するアプリケーションであり，浜の町アーケードのストリートを
映像として撮影したものに店舗情報を吹き出しとして表示するように編集を加え
ている．編集後の映像コンテンツをGoogleマップ上の映像を撮影した場所にマッ
ピングし，クリックで確認できるようになっている．本アプリケーションでは，浜の
町の通りを撮影した映像に店舗紹介を組み込んだ映像コンテンツを地図上に
マッピングすることで，地図上の位置関係を把握した上で，街並みを視覚的に捉

えながら店舗情報を確認することができる. まさに, 街の中をぶらぶら歩いて回る「まちぶら」ができるのである. 長崎では平成25年度から令和4年度にかけて「まちぶらプロジェクト[4,5]」を立ち上げており, 本事例はこれと連動するものである.

3.Googleストリートビューについて

ストリートビューとは, 2007年から開始されたGoogleマップ上で利用できるWebサービスである. 表示される地図上でPegmanをドラッグすると, ストリートビューが利用可能な道が青色で表示される. 青色で表示されたところにPegmanをドロップすると周囲の風景が確認できる. ストリートビューとして表示される風景写真は, 地上約2.5mから撮影された360度のパノラマ写真として表示され, まるでその場に立ってその風景を見渡しているかのような感覚を味わえる. 開始当初は, アメリカの主要都市のみに対応していたが, 現在は全7大陸50ヵ国以上の各地を確認できるようになっている. また, ストリートビューコレクションという世界の名所や自然景観, 博物館, アリーナ, ショッピングモール, 大学, 水中などを確認できるギャラリーがあり, 例えば長崎でいうと, 1974年の閉山とともに無人島となった端島(通称 軍艦島)を立ち入りが禁止されているエリアを含めた確認することができる. また, オランダの街並みを再現したテーマパークとして知られるハウステンボスの園内も確認することができる. 図表1に軍艦島のストリートビュー画面の一例を, 図表2にハウステンボスのストリートビュー画面の一例を表示する.

このように, ストリートビューは, これから向かう場所を事前に確認したり, 旅行の行程をチェックしたり, 普段行けないようなところをバーチャルに散歩してみたりとさまざまな使い方ができる. しかし, 確認できるのは, そこに写っている風景や街並みのみであり, 店舗情報などは別途検索する必要がある. また, 表示される風景の

図表1 軍艦島のストリートビュー画面

図表2　ハウステンボスのストリートビュー画面

中をクリックにより進むことはできるが，表示されるのはその場の静止画のみであり，その場の雰囲気を味わうには臨場感が足りない．

インドアビュー(旧おみせフォト)は，2010年5月に開始された店内版ストリートビューである．ストリートビューでは外の風景を確認できたが，インドアビューでは店舗やレストランなどの店内を360度のパノラマ写真で見渡すことができる．開始当初はストリートビューのようにGoogleのスタッフの手によって無料で撮影されていたが，より多くの地域でサービスを提供するために，2012年の5月からおみせフォト認定パートナーというおみせフォトのプログラム概要や，360度のパノラマ画像を撮影するためのトレーニングを受けた，Googleがおみせフォトの販売や撮影を許可しているパートナーの法人がほとんどの県に

図表3　ハウステンボス内の店舗のインドアビューの一例

図表4　長崎市内の店舗のインドアビューの一例

存在し，その撮影チームに撮影を依頼することでおみせフォトを導入できるようになった．屋外のストリートビューとほぼシームレスに繋がっており，ストリートビュー内で進行方向を示す矢印が二重になっているものをクリックすると，店内の写真に切り替わる．長崎のハウステンボスや長崎市内のインドアビューの一例を図表3と図表4にそれぞれ示す．

外観と内観の両方を確認できるということで，実際に行かなくてもお店の雰囲気をまるで店内にいるかのようで身近に感じ，外から店内が覗けないような作りの店への新たな集客につながる．しかし，店内に客がいない状況を撮影せざるを得ないためお店の日常を感じることはできない．

4.浜んまちまちぶらオンラインマップについて
(1)概要について
　ここでは，映像を用いた観光情報の提供について，長崎市の浜の町アーケードを対象にした浜んまちまちぶらオンラインマップを紹介する．まずは，概要を説明する．使用する映像は，浜の町アーケードの通りを映像として撮影したものである．浜の町アーケードは，十字に交差した縦横の2本のメインの

図表5　浜んまちまちぶらオンラインマップ動作画面

アーケードがあり，それらに交差する形で中小の通りが複数ある．撮影した通りの映像は，そのままでは尺が長すぎるため通りの区画ごとに切り分ける．映像だけではまちぶらの雰囲気が不足するので，店舗の情報を吹きだしとして表示するように編集を加える．編集した映像コンテンツは，YouTubeにアップロードし，撮影した通りのGPS座標をもとにGoogleマップ上にマーカーを用いてマッピングしている．マップ上のマーカーをクリックするとその通りの映像コンテンツが再生される仕組みである．ストリートビューとは異なり，何度もクリックして通りを進む必要はまったくない．映像コンテンツを用いて街並みを紹介することで臨場感を保ちつつ，まちぶら感覚で店舗の情報を確認することができる．アプリケーション動作画面の一例を図表5に示す．地図上のマーカーをクリックすると映像コンテンツを表示する吹き出しが現れる．

（2）開発環境について

本アプリケーションの開発環境を図表6に示す．アプリケーションの作成の際の参考にして欲しい．

図表6　アプリケーションの開発環境

OS	Windows7 Professional
開発API	Google Maps API V3
開発言語	HTML，JavaScript
動作検証ブラウザ	Google chrome 45.0.2454.101m

映像の撮影には，GoPro HERO3+ Black Editionを使用し，ビデオ解像度が1080p（1920×1080p），フレームレートが60fps，視野界（FOV）がウルトラワイドである．映像の編集には，AviUtl version1.00を使用し，映像の形式は，MPEG-4となっている．

（3）映像の撮影について

本アプリケーションで使用している浜の町アーケードの通りの映像撮影について解説する．浜の町アーケードの通りは，浜市アーケードという国道324号線の通り，ベルナード観光通り，本古川通りなどの大きな通りと，それ以外の路地裏の細い通りがいくつか存在する．その中から今回は大きな通りとしてベルナード観光通りを，路地裏の小さな通りとして電車通りのめがねのヒラヤマから浜市アーケードの榎純正堂までの通りと，WITH長崎というビルの駐車場から本古川通りのたちばな信用金庫のあたりまでの通りを選定する．ベルナード観光通りは道幅が広く，ほとんどの店舗を1方向から確認することができるため，撮影は通りを北上する方向のみとする．路地裏の通りは道幅が狭く，歩く方向によっては視認しにくい店舗がいくつか存在するため，通りを北上する向きと南下する向きの2方向から撮影している．

（4）映像の編集について

撮影した映像の編集について解説する．まず，撮影した映像を確認しやすく

するため，通りと別の通りが交差する地点をもとに映像を通りの区画ごとに切り分ける．切り分けた区画ごとの映像において，店舗の情報を吹き出しとして編集加工する．吹き出しの位置は，店舗の情報が読みやすい位置に固定する．吹き出しのサイズは，通りの両側の店の外観が確認できるよう，路地裏の小さな通りの幅に合わせて幅9.6cm，高さ6.6cmとする．図表7，図表8，図表9に示すように，1階と2階に店舗がある場合や，通りの両側に店舗がある場合は，画面上の上下に吹き出しを同時に表示し，同じ場所に3つの店舗がある場合は，1つの吹き出しで大きく表示するように工夫している．吹き出しの色は，Microsoft PowerPoint 2010の図形の書式のスタイルの中にあるものを使用する．通りにあまり存在せず，配置しても見やすい青色（アクセント1）と緑色（アクセント3）を使用し，文字の色は吹き出しと背景との色合いを考えて白を使用する．

図表7　1階と2階に店舗がある場合

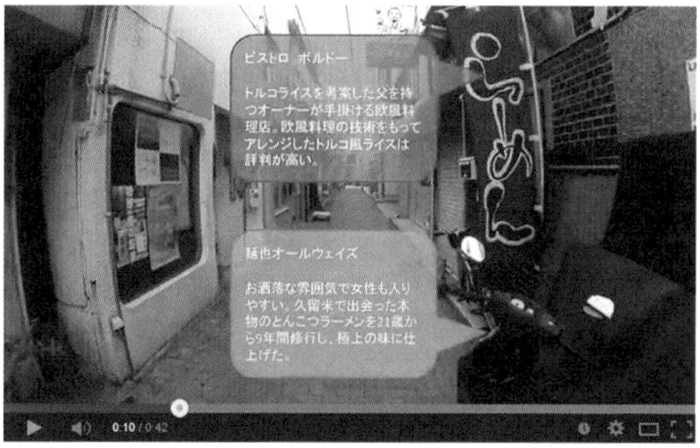

図表8　通りの両側に店舗がある場合

　吹き出しを画面の上側に出す場合は青色（アクセント1）を使用し，画面の下側に出す場合は緑色（アクセント3）を使用する．また，店がある場所によって吹き出しの場合分けを行う．1階にある店の場合は緑の吹き出

図表9　1つの建物に3つの店舗がある場合

し，2階にある店は青の吹き出しといったように店の場所により吹き出しの色を使い分ける．吹き出しを表示した場所の背景も確認できるように，吹き出しは透過率を30％とする．吹き出しの内容は店の名前と店内の雰囲気，どのような食事ができるのかなどの情報を大まかにまとめたものを約60〜80文字で表記し，文字のサイズは18ptに設定する．吹き出しの文章を読む時間を数人で実験調査したところ，約3〜4秒の時間で読むことができたことから，吹き出しの表示時間は店舗ごとに4秒としている．同時に2つ表示する場合やそれ以上の場合は吹き出しの個数分，時間を4秒ずつ長く表示する．編集した映像はGoogleマップとリンクさせるために，YouTubeにアップロードする．

(5)アプリケーションの動作検証
①大きな通りの場合

図表10　吹き出しが1つの場合

図表11　吹き出しが2つの場合

　図表10は1つの吹き出しを表示する場合，図表11は2つの吹き出しを同時に表示する場合の図である．吹き出しの色はどちらも背景にはなく，吹き出しも見やすく，透過も行っているので背景を確認することができ，文字のサイズは背景をじゃますることなく読むことができている．しかし，文字の色は図表11を見ると，下側に吹き出しがある場合は見やすいが，上側に吹き出しがある場合は，空が背景となる部分は少し見づらい．また，吹き出しの幅が路地裏の細い通り

に合わせてあるため，店と吹き出しの間に距離があり，下側の吹き出しがどこの店を示しているのか若干わかりにくいことがわかった．吹き出しの背景の明るさを検出して，吹き出しの透過率を可変にするような工夫が必要であろう．

②小さな通りの場合

　図表12は1つの吹き出しを表示する場合を示す．図表13は1階と2階に店がある場合で，図表14は両側に店がある場合である．どちらも2つの吹き出しでそれぞれの店を紹介している．

　図表15は1つの建物の2階に3つの店があり，1つの大きな吹き出しに3つの情報を示している．吹き出しの色は，背景の色と少々似ているのもあるがまったくの同じ色はなく，どの吹き出しも見やすく，透過のおかげで背景を確認することができ，文字のサイズも適切である．しかし，空が背景となる部分は空の色と文字の色がかぶってしまうため若干読みづらい．

　片側の1階と2階に店がある場合，図表11のメインの大きな通りは1階と2階に店舗がまだ視認できるが，路地裏の小さな通

図表12　吹き出しが1つの場合

図表13　吹き出しが上下の店舗で2つの場合

図表14　吹き出しが左右の店舗で2つの場合

図表15　3つの店舗で1つの吹き出しの場合

図表16　通りを南下する際の映像上の店舗

図表17　通りを北上する際の映像上の店舗

りは図表13のように2階が視認しにくくなる. 吹き出しを表示するタイミングをもう少し厳密に調整する必要があるだろう. また, 図表16に示す赤枠で囲った店舗は, 南下する映像では店舗の様子がわかるが, 北上する映像では図表17に示すように店舗がわかりにくくなる. このように, 路地裏の細い道は歩く方向によって店舗が視認しにくい場合がある.

(6)開発のポイント

　映像を用いた観光情報の提供の事例として, 浜んまちまちぶらオンラインマップを紹介した. このアプリケーションの目的は, 浜の町アーケードの雰囲気を映像コンテンツをもとに感じてもらうことであり, そこが映像を用いる理由である. 映像コンテンツを事前に確認することでゆるく街の雰囲気を感じることができ, 実際に街に出かける前の軽い準備運動をしてもらうちうのが狙いである. 近年, 新しい価値観を生む「ゆるさ」を考えたアプリケーションである.

5.Twitterを用いた観光イベントの実況について

　Twitterは世界中で利用されているソーシャルメディアの1つである．140字以内の「ツイート」と呼ばれる短文を投稿するシステムでユーザーは情報を発信したり他のユーザーとの情報を共有したりすることができる．Twitter社が公開した情報[6]によるとTwitterのアクティブユーザー数は3億3,500万人を突破している．またTwitterで使用されている言語の調査[7]によると，日本語が16%と英語の34%に続く割合となっており，日本人のTwitterの利用が世界的にみても多いことが分かる．

　近年ではTwitterは，情報共有のツールとして利用されることも多く，Twitterを介して同じ話題に興味を持った人との情報共有促進を目的にしたアプリケーションも開発されている．ニフティ社が開発した実況テレビ番組表『みるぞう』[8]では，テレビの番組表とTwitterが連携されており，Twitterの盛り上がりに応じてアイコンの色が変化し，どの番組が今盛り上がっているのかを確認することができ，ツイートされたつぶやきも見ながらテレビ番組を楽しむことができる．現在，「みるぞう」は，データセクション株式会社がテレビ実況アプリケーション「みるもん」として刷新，運営している．一般のユーザーだけでなく企業がTwitterを介して情報を発信しているという例も多くなり，Twitterを利活用したマーケティング活動も増えている．DELL社では，マーケティング活動の一環としてTwitterを取り入れ，個別ユーザーとオープンにやり取りをしたり，不定期に行われるアウトレットセール品の商品情報の配信を行ったりしたことで，アカウント開設から約2年で300万ドル以上を売り上げたとされている[9]．地方公共団体もTwiiterを利用している例が多く見られる．実際に長崎県内でも長崎県観光振興課，長崎市観光推進課などがTwitterを利用し，時期に合わせて長崎県内や市内で行われている行事などのPRを行っている．

　長崎は鎖国時代から国際貿易港として唯一開かれた港町であったことから，外国から伝えられたさまざまな文化が今現在でも建造物や慣習の中に残されている．そのため国内国外を問わず毎年多くの観光客が長崎の街に訪れる．長崎くんちもそのような歴史の慣習から生まれた長崎の代表的な祭礼の一つであり，

現在では10月7-9日に諏訪神社を中心に行われる. 長崎くんちを観覧する場所は大きく2つに分かれており, 本場所(本会場)で有料の券を購入して観覧する方法と街中で行われる庭先回りを観覧する方法がある. この庭先回りは踊町が長崎市内の各所を廻るため, 観客は無料で奉納踊りを観覧することができ, ほとんどの観客がこの庭先回りで長崎くんちを観覧する. 踊りを観覧するために踊り町を追いながら長崎くんちを楽しむ愛好者も多い. 庭先回りは事前に何時にどの場所で踊りを披露するのかというスケジュールが立てられているが, 目的地までにどのルートを通るのかは特に公開されないため, 常に庭先回りの場所を把握することは困難である. そこで, 扇精光株式会社が「長崎くんちナビ」[10]のサービスを2002年に試験的に開始し, 2007年からは長崎放送株式会社(NBC)と共同で本格的にサービスを開始した. 長崎くんちナビは, 踊り町の現在地を把握すること, またその踊り町の情報を知ることを目的としている. 各踊り町の演じ物とともにGPS付き携帯電話が移動し, その発信情報をもとにパソコンや携帯電話, スマートフォンで各踊り町の出し物の現在地を確認できるというサービスである.

これらのことを踏まえて, ここでは, Twitterと連動したおくんちのリアルタイム実況システムの試作について事例紹介する. 本システムは, 1年を通して祭事, イベントの多い長崎で活用できる実況システムの作成を目的としている. ここでは, 長崎の祭事として知られている長崎くんちを対象とし, 盛り上がりを可視化する活況度マップを作成する. 本システムは, TwitterとGoogle社が提供するGoogleマップを連動させ, 現在地周辺の長崎くんちに関連するツイートを取得し, その数をもとに地図上に円を表示することで現在地周辺の活況度を実況感覚で把握することができる. Twitterと連携することで現地の情報がタイムリーに収集でき, 現在地周辺のツイート数を円で表示することにより, 即座に活況度を把握することができる. 本研究は, 長崎くんちだけでなく他のイベントでの活用することも可能である.

6.実況テレビ番組「みるぞう」について

　まず，実況テレビ番組『みるぞう』を紹介する．このアプリケーションは，テレビで同じ番組を視聴しているもの同士で楽しさを共有し合うことを目的としてニフティ株式会社が開発したものである．アプリケーションの画面の一例を図表18に示す．アプリケーション画面を開くと現在放送されているテレビ番組表がアイコンとして表示される．この番組表の標準地は「東京」となっているが，リストから現在地の都道府県を選択することで各地のテレビ番組表へ変更することも可能である．番組のアイコンの色がその番組についてTwitterでツイートされている度合いを示しており，色が濃ければ濃いほどTwitter上で盛り上がっているということになる．番組表のアイコンをクリックすると，実況画面が表示され，その番組についてつぶやかれたツイートが抽出されタイムライン上に表示される．そのため，盛り上がりの度合いが大きければ大きいほどツイートのスクロールも速くなり多くの人とテレビを一緒に見ているような一体感も味わうことができる．このアプリケーションはパソコンの他に

図表18　実況テレビ番組『みるぞう』のアプリケーション画面の一例

もスマートフォンのアプリケーションで使用することが可能である．現在，このアプリケーションは，「みるもん」としてデータセクション株式会社から提供されている．

7.テレビ実況アプリケーション「みるもん」について

　次に，テレビ実況アプリケーション「みるもん」を紹介する．「みるもん」はTwitter上で盛り上がっている番組をリアルタイムで把握することができ，番組を視聴しながら，多くの人と感想を共有できるアプリケーションである．「みるもん」のアプリケーション画面の一例を図表19に示す．図の左が盛り上がりの度合いを

確認する画面で，白色から赤色の4段階の色で盛り上がりが表示される．図の右は，Twitterの盛り上がりを確認する画面となる．スポーツ観戦などの興奮を共有して盛り上がることができると同時に，他者が番組に対してどのような意見を持っているのかなども知ることができる．

8.「長崎くんちナビ」について

　長崎くんちナビは，長崎くんちの期間開催中，庭先回りにおける各踊り町の現在地を確認することを目的に扇精光株式会社と長崎放送株式会社(NBC)が共同で開発したものである．長崎くんちは，長崎を代表する伝統的な行事の一つであり，毎年10月7-9日に開催される．59の町が7グループに分かれ毎年順番に踊り町を担当し，約1年の準備期間を経て3日間各地で踊りを披露する．庭先回りは，各踊り町が各事業所や官公庁，各家をまわり，敬意を表して踊りを披露す

図表20　長崎くんちナビアプリケーション画面

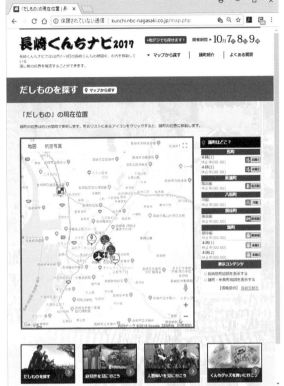

る長崎くんちの催し物の1つであり，観客は街中で奉納踊りを楽しむことができる．庭先回りでは規模の大きい会場や広場でのスケジュールは発表されるが，事業所や各家をまわるルートなどは発表されないため，リアルタイムに各踊り町の位置情報を把握することは困難だった．そこで開発されたのが長崎くんちナビである．このアプリケーションでは踊り町の出し物と共に移動しているGPS付携帯電話から発信されている情報を元に地図上で各踊り町の出し物の現在地を確認することができる．また，スマートフォンアプリのAR機能と長崎市内で配布されている「長崎くんち庭先回りMAP」を使用することで，紙の地図上に自分の現在地や各踊り町の現在地を反映させることができる．パソコンで起動した場合の『長崎くんちナビ2017』のアプリケーション画面を図表20に示す．右のリストに表示されている各踊り町のアイコンをマウスに合わせると，合わせたアイコンの踊り町の現在地がマップ上に表示される仕組みとなっている．『長崎くんちナビ』は，パソコンやスマートフォンの他に携帯電話でも利用することが可能である．長崎くんちを観覧する際には，ぜひとも使って欲しいアプリケーションである．

9.おくんちのリアルタイム実況システムについて

（1）概要について

　ここでは，Twitterをもとに長崎くんちの庭先回りに焦点をあてた活況度を可視化するマップを紹介する．長崎くんちにおいて最も人の流れや活況度が変化するのは，演じ物を見る観客の動きである．庭先回りでは演じ物が次の目的地へと移動することで人の集まる場所も変化する．そこで，庭先回りの活況度を表すことができれば演じ物の集客もより活発になるのではないかと考えた．本システムはGoogleマップ上で現在地を取得することで半径200m以内の長崎くんちに関連するツイートを取得し，地図上の円内におけるツイートの数によってその場所での活況度をはかり円で表わしている．活況度を円で表わすことで，一目でどの場所が盛り上がっているのかを把握することができる．Twitterを利用する利点として，情報がタイムリーに得られること，ツイート内容の他にTwitterの機能として現在位置情報や時間などが付加されているため，Googleマップ上で活況度を表示するための情報をより簡単に取得することができるということが挙げられる．

　本アプリケーションの初期動作画面を図表21に示す．

　ユーザーは，右上の「現

図表21　提案システム初期動作画面

図表22　活況度が表示される様子

在地取得」ボタンをクリック
し，現在地のGPS座標を
取得する．すると，現在地
を中心に半径200mの半
透明の円が描画され，そ
の円内のツイートがマー
カーとして地図上に表示さ
れる．その円の描画と同時
に範囲内のツイート数の合

図表23　ツイート内容が表示される様子

計を半径とした塗りつぶしの円が現在地を中心として描画される．また，現在地
から最も近いとされる電停の場所に電停マーカーが表示され，画面右上の「最寄
り」の部分に電停名が表示される．ツイートのマーカーをクリックすると，その地点
でツイートされたつぶやきが吹き出しとして表示される．最後にクリアボタンを押
すことで，地図上に表示されていた円，ツイートマーカー，ツイートをクリックしたと
きの吹き出し，電停アイコン，右上の電停表示部分等がすべてクリアされる．初
期画面では，地図の中央を「中央橋」としている．図表22の場合，画面上の淡い
円が半径200mの円で，園内でのツイートがマーカーとしてそれぞれの場所に表
示されている．中央の水色の円は，活況度が高いことを示している．ツイートマー
カーをクリックするとツイートの内容が確認できる．図表23にその様子を示す．

(2)開発環境

　本アプリケーションの開発環境を図表24に示す．

図表24　アプリケーションの開発環境

OS	Windows7 Professional
開発API	Google Maps API V3
開発言語	HTML，　JavaScript
動作検証ブラウザ	Google chrome 45.0.2454.101m

(3) アプリケーションの動作検証

図表25　活況度がかなり高い場合

図表26　活況度がある程度高い場合

図表27　活況度が低い場合

①活況度が高い場合

　ここでは活況度が高くなる場合のパターンを挙げる. まず, 図表25は, 現在地を賑町付近に設定した場合の動作画面である. この地点では, 53のツイートが取得された. 活況度を示す水色の円に, 複数の庭先回りのルートが含まれることからこの現在地周辺の活況度がとても高いことが確認できる. 図表26では, 現在地を長崎駅前付近に設定した場合の動作画面である. この地点では, 29のツイートが取得された. この現在地からかかる円の中に踊り場が含まれており, 庭先回りのルートが横断しているため, 活況度が高い.

②活況度が低い場合

　ここでは, 活況度が低い場合のパターンを2点挙げる. 図表27は, 現在地を築町付近に設定した場合

の動作画面である．この地
点では11ツイートが取得さ
れた．円の中を庭先回りの
ルートが横断しているが，
横断している範囲が小さ
いため活況度が低い．図
表28では，現在地を思案
橋電停付近に設定した場
合の動作画面である．この

図表28　活況度がかなり低い場合

地点では6ツイートが取得された．円の周辺部分のみしか庭先回りのルートがか
かっていないので，活況度がかなり低い．

（4）開発のポイント

　Twitterを用いた観光イベントの実況の事例として，おくんちのリアルタイム実
況システムを紹介した．このアプリケーションの目的は，Twitter上に投稿される
ツイートをリアルタイムに取得することでその場の活況度というものがどのように
可視化されるのかを確認することである．TwitterはFaceBookやInstagramとは
違いわずか140文字のテキストで状況を端的に表現することから，リアルタイム分
析に向いたSNSである．このように観光イベントの盛り上がりを地図上で記録す
ることで，観光イベントの集客数や宿泊数など数値では見えないものが見えるよ
うになる．

10.おわりに

　ここでは，「旅行前」の事前検索の利用を想定した映像を用いた観光情報の
提示方法と，「旅行中」のリアルタイムでの利用を想定したTwitterを用いた観光
イベントの実況について事例を挙げて紹介した．これらの事例において紹介し
たアプリケーションは，基本的にはWebサイト上で動作するもので，操作画面も

比較的シンプルである．観光アプリケーションを考える場合，重要となるのは「動作画面がシンプルで操作しやすく，画面の動作がスムースで，適切な情報をスマートに表示する」ことである．ここで紹介したものは，GoogleマップAPIを用いて表示した地図上に情報を提示するものである．観光を対象としたアプリケーションを開発する場合は，現在地や目的地，その他周辺の観光情報などを地図上に提示するなど，地図を有効活用することが必須となる．近年は，GoogleマップAPIのみならず，種々の地図アプリケーションが利活用できるようになり，アプリケーションの開発も容易になっている．ぜひとも本学の情報システム学科主催の「一日大学生－高校生のための情報技術講座－」を受講して，さまざまな情報技術の一端に触れてみることをおすすめする．

参考文献

1 Googleマップ（2018.9.23），https://www.google.com/maps/

2 マピオン（2018.9.23），https://www.mapion.co.jp/

3 いつもNAVI（2018.9.23），https://www.its-mo.com/

4 長崎市まちぶらプロジェクト（2018.9.23），http://www.city.nagasaki.lg.jp/sumai/660000/666000/p024188_d/fil/H30machibura.pdf

5 長崎市まちぶらプロジェクト認定制度（2018.9.23），http://www.city.nagasaki.lg.jp/sumai/660000/666000/p024189.html

6 CNET Japan – Twitter,IPO申請書類を公開--10億ドル調達を目指す（2018.9.23）：https://japan.cnet.com/article/35038031/

7 MIT Technology Review（2018.9.23）：https://www.technologyreview.com/s/522376/the-many-tongues-of-twitter/

8 実況テレビ番組表「みるぞう」（2014.1.22）：http://miruzow.nifty.com/pc/

9 New York Times - Dell Says It Has Earned \$3 Million From Twitter（2018.9.23）：https://bits.blogs.nytimes.com/2009/06/12/dell-has-earned-3-million-from-twitter/

10 長崎くんちナビ 2017（2018.9.23）：http://kunchi.nbc-nagasaki.co.jp/

これからの地理情報

情報システム学科　平岡　透

1.急速に変化する地理情報を取り巻く世界

　オックスフォード大学のマイケル・A・オズボーン准教授とカール・ベネディクト・フライ博士が2013年に発表した論文の中で，今後10年から20年に人間が行っていた職業が機械によって置き換えられる可能性を確率で示している．機械に置き換えられる確率の高い職業を図表1に示す．この中で，測量技術者とマッピング技術者(Surveying and Mapping Technicians)および地図製作者と写真測量技術者(Cartographers and Photogrammetrists)が機械に置き換えられる確率がそれぞれ96%と88%という非常に高い値となっている．測量技術者，マッピング技術者，地図製作者，写真測量技術者は高い技術と豊富な経験が必要とされ，日本においては測量技術者，マッピング技術者，地図製作者，写真測量技術者と同様な仕事を行う測量士という国家資格がある．測量士は，測量法に基づいて国土交通省国土地理院が所管しており，測量業者に配置が義務づけられている．測量士になるためには，測量に関する科目が学べる大学では卒業後1年以上，短大と専門学校では卒業後3年以上の実務を経験するか，測量士試験に合格する必要がある．測量士試験は，合格率が2019年(令和元)年で14.8%，2018年(平成30)年で8.3%，2017(平成29)年で11.7%，2016(平成28)年で10.4%，2015(平成27)年で11.5%，2014(平成26)年で12.1%，2013(平成25)年で5.2%と難関である．しかしながら，ここ数十年の間のコンピュータ技術の進展に伴って，測量士が作成して

きたアナログの地図がデジタルの地理情報に置き換わり，地理情報作成の自動
化が進んでいる．

図表1　機械に置き換えられる確率の高い職業

確率[%]	職業
99	Telemarketers
99	Title Examiners, Abstractors, and Searchers
99	Sewers, Hand
99	Mathematical Technicians
99	Insurance Underwriters
99	Watch Repairers
99	Cargo and Freight Agents
99	Tax Preparers
99	Photographic Process Workers and Processing Machine Operators
99	New Accounts Clerks
99	Library Technicians
99	Data Entry Keyers
⋮	⋮
96	Surveying and Mapping Technicians
⋮	⋮
88	Cartographers and Photogrammetrists
⋮	⋮

　このような背景の中，本章では，地理情報に関連する最新の技術を紹介し，
その後これらの技術を利用した最新の応用事例やサービスを紹介する．これら
の技術の延長線上に，測量技術者，マッピング技術者，地図製作者，写真測
量技術者が機械に置き換えられる可能性があると考えられる．最後に，著者が
これまでに行ってきた地理情報に関連する研究として3次元景観シミュレーショ
ンを紹介する．

2.地理情報に関連する最新の技術

　地理情報に関連する最新の技術として，GNSS(Global Navigation Satellite System)，インドアポジショニング，IoT(Internet of Things)，ドローン，AR(Augmented Reality)，AI(Artificial Intelligence)，高分解能衛星画像，MMS(Mobile Mapping System)，ダイナミックマップを紹介する.

(1)GNSS

　複数の衛星から電波信号を受信して，地球上の現在位置を計測するシステム(全地球測位システム)がある(図表2参照). 最も有名な全地球測位システムにGPS(Global Positioning System)がある. アメリカが1978年にGPS用の最初の衛星を打ち上げ，1993年に24基の衛星が揃い，運用が開始された. GPSは，衛星から送信される測距信号を使ってリアルタイムに数mの精度で測位することができる. また，衛星からの搬送波の位相を使って，数分から数十分の時間を要するが，1cmから3cmの精度で測位することもできる. アメリカのGPSが運用開始した後，ロシアのGLONASS(グロナス)，EUのGalileo(ガリレオ)，中国のBeiDou(北斗衛星導航系統)，インドのIRNSS(インド地域航法衛星システム)，日本のQZSS(準天頂衛星システム)などが登場し，GPSも含めたこれらの全地球測位システムを総称してGNSSと呼ばれている.

図表2　全地球測位システムの概念図

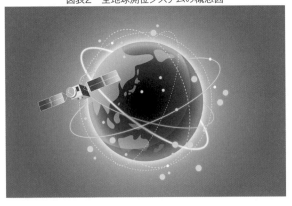

日本のQZS(準天頂衛星)は，2010年9月11日に1機が打ち上げられて試験運用を開始し，2017年に3基が打ち上げられて，2018年に4基体制でシステムを運用開始している. 2020年に1基と2023年に3基

が打ち上げられる予定である．QZSは，日本の天頂付近に長く滞在できるため，ビルの谷間のように上空の視界が狭い場所でも高精度な測位が可能となる．

（2）インドアポジショニング

　ビルや地下街などの屋内ではGNSSの電波信号を受信できないため，GNSSでは現在位置を計測することができない．そこで，屋内の歩行者の現在位置を計測するインドアポジショニングが注目されている．インドアポジショニングの方法として，ビーコンによる測位，自律航法，IMES(Indoor Messaging System)などが開発されている．

　ビーコンは，Wi-Fiと同じ周波数帯のBLE(Bluetooth Low Energy)を利用して安価でボタン電池で数年動作するため，主要な駅や地下街，空港などで実証実験が進んでいる．ビーコンからの電波の強弱によってビーコンからの距離を計測することができるが，数mの誤差を含んでいる．複数のビーコンを設置して自己位置を推定することもできるが，距離の誤差と電波干渉もあり，位置精度は10m以上にもなる．そこで，ジャイロセンサや加速度センサ，地理情報などを駆使して歩行者の位置を計測する自律航法技術とビーコンの測位システムを組み合わせることで，3m以下の位置精度を実現する方法も登場している．

　IMESは，宇宙航空研究開発機構(JAXA)と測位衛星技術株式会社が共同で開発した日本発の技術で，国内を中心に普及が期待されている．IMESでは，GNSSの信号を中継する機器を屋外に設置し，屋内に電波を中継してIMES送信機で電波を送信する．IMESのメリットは，端末側のハードウェアとして既存のGNSS受信機を使用でき，GNSSと同じ座標系でシームレスな使用が可能となる点である．また，1m以下の位置精度を実現できる方法として期待されている．

（3）IoT

　IoTは，センサを搭載したさまざまなモノ同士がインターネットで繋がって，さまざまなサービスを提供する仕組みである．IoTで使用されるセンサとして，振

動センサ，電流計，湿温度センサ，二酸化炭素濃度センサ，粉塵センサ，騒音センサ，光センサ，レーザスキャナ，磁気センサ，人感センサ，重量センサ，流量センサ，赤外線センサ，歪みセンサ，加速度センサ，ジャイロセンサ，地磁気センサ，照度センサなどがある．例えば，振動センサや電流計は工場内の設備や機器に搭載されているモータの故障を検知するために用いられ，人感センサは自動でライトを点灯する場合や不審者の侵入を検知する場合に用いられている．

センサは固定されているだけでなく，人が携帯するスマートフォンや腕時計および車や飛行機などの移動体にも搭載されている．例えば，スマートフォンにも，カメラ，マイク，加速度センサ，ジャイロセンサ，地磁気センサ，近接センサ，GNNS受信機などのさまざまなセンサが内蔵されている．これらのセンサで取得した情報にGNSSやインドアポジショニングなどで計測した位置情報を付与することで，利活用の幅をさらに広げることができる．位置情報は，プライバシーと大きく関係するため，NTTドコモやKDDI，ソフトバンクモバイルなどの通信事業者，GoogleやYahooなどのIT企業，パイオニアやソニーなどのカーナビゲーションを扱っている企業は自由に利用することができないが，ユーザの許可を得て匿名とすることで利用している．

(4)ドローン

ドローンとは，人が搭載しない航空機のことである．現在日本でよく使われているドローンは，商業用や一般向けの小型のもので，ラジコンヘリコプターのようなタイプである．このタイプのメリットは，その場で離発着ができ，空中での静止や遅いスピードでの飛行が可能となる点である．ドローンにカメラ，レーザスキャナ，ジャイロセンサ，GNSS受信機などを搭載することも可能であり，これによって測量をはじめ多くの分野で活用されている．

ドローンでのカメラを用いた空中写真撮影は，従来の有人航空機よりも高解像度の写真を取得でき，狭い範囲において効率的に作業を行えるというメリット

がある．また，オーバラップした連続写真を撮影することで，リアルな3次元空間（地図）をほぼ自動的に作成することもできる．このときに使用する技術がSfM（Structure from Motion)である．SfMは，コンピュータビジョンやロボットからきた概念であり，移動するカメラから得られる写真画像から3次元空間を復元する技術で，極力処理が自動化されるような工夫がなされている．

　また，ドローンに搭載されたレーザスキャナを用いることで，3次元空間を点群データとして計測することができる．レーザ計測は，カメラを用いた計測では困難であった樹木が生い茂る環境でも地面の三次元形状を計測することができる（図表3参照）．さらに，これまでのレーザ計測で使用してきた近赤外波長帯のレーザに加え，水中を透過する緑色レーザを用いることで，水面下の地形の計測も可能になっている．

図表3　ドローンによるレーザスキャナ計測

(5) AR

　ARは，拡張現実感と呼ばれ，現実世界に仮想物体や情報を付加する技術である（図表4参照）．VR（バーチャルリアリティ）はコンピュータ技術を用いて仮想空間を構築するが，ARはカメラやマイク，ジャイロセンサ，GNSS受信機などのセンサで得られた現実の場所や周辺状況の一部を変え，実空間と仮想空間を一つの

図表4　ARの例

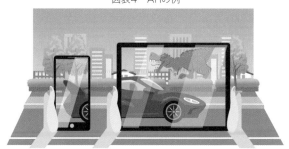

ディスプレイ上に同時に表示する．例えば，ユーザが眼前に装着できる透視型のディスプレイを装着して，ディスプレイ上に観光名所やビルの名前を表示したり，目的地への案内を矢印で表示したりする．ARが実行される際には，ユーザのセンサから得られた位置や視線方向などの情報をサーバに送信し，サーバは受信した情報とマッチした仮想空間上のデータを抽出し，実空間を拡張する情報としてユーザに送信する．

(6) AI

AIは，人工知能と呼ばれ，知的な情報処理をコンピュータ上で実現するプログラムやシステムのことである．また，プログラムやシステム自身が学習して推測や判断の性能を向上させることもできる．プログラムやシステムを学習させる方法は，機械学習と呼ばれ，進化的計算や強化学習，ニューラルネットワークなどのようなさまざまな方法がある．進化的計算は，生物が何世代にも渡って環境に適した機能を形成させる過程を模倣したものである．強化学習は，動物が環境に適した行動パターンを学習していく過程を模倣したものである．ニューラルネットワークは，動物の脳の神経回路を模倣したものであり，ここ数年で飛躍的な進歩をみせた深層学習(Deep Learning)もニューラルネットワークの一つである．

深層学習は，現時点において大量のデータからその背後に潜む知識を自発的に獲得していく強力な方法であり，実際にコンピュータ上で実験を行うと極めて高い性能が得られることが分かっている．例えば，手書きの数字をコンピュータ上で認識される場合，これまでの方法を用いると人が各数字の特徴を抽出する必要があったが，深層学習では数字の画像をニューラルネットワークに入力するだけで自動的に学習を行うことができる．対象が数字の画像だけでなく，画像中のさまざまな物体に対しても基本的に同様であり，汎用的である点も深層学習のメリットである．さらに，深層学習のメリットとして，極めて高い汎化性能もある．例えば，ニューラルネットワークを学習させるために使用した以外の手書きの数字に対しても高い性能で認識できる．

(7)高分解能衛星画像

　1972年にアメリカが最初の地球観測衛星Landsat-1を打ち上げた．Landsat-1から取得される画像の地上分解能は80mであった．1982年に地上分解能30mの画像を取得できるLandsat-3，1986年にフランスが地上分解能10mの画像を取得できるSPOT-1を打ち上げた．1999年には最初の商業用の高分解能地球観測衛星IKONOS-1が打ち上げられ，地上分解能1mの画像を取得できるようになった．現在では，商業用高分解能地球観測衛星WorldView-4は地上分解能30cmの画像を取得できるようになっている（図表5参照）．

　高分解能地球観測衛星の中には，人の目に見える赤，緑，青の可視光の他に，人の目に見えない近赤外線も画像として取得できるものもある．近赤外線は，植物に含まれる葉緑素（クロロフィル）に大きく反応するため，植物の有無や活性度の調査に用いられる．また，ステレオ画像を取得できる高分解能地球観測衛星もあり，高精度な3次元地形データを生成することも可能である．

(8)MMS

　MMSは，モービルマッピングシステムと呼ばれ，車にレーザスキャナ，カメラ，GNSS受信機，ジャイロセンサ，走行距離計，加速度計などを搭載して，道路やその周辺の3次元データや映像を取得する装置である（図表6参照）．MMSのメリットとして，航空写真や衛星画像では取得が困難な道路付帯物（信号，照明，遮音壁，ガードレール，電柱，道路標識，マンホール，植

図表5　MMS車輌

画像提供：株式会社パスコ

樹帯，縁石など）や路面ペイント（区画線，停止線，横断歩道など），トンネル内部のデータを取得できる点である．また，多くのMMSは，絶対精度10cm以内，相対精

度1cm以内の高い精度で計測が可能で，1/500や1/1000という大縮尺の測量に対応しており，1/500相当の地図を作成できる精度を十分に有している．

(9) ダイナミックマップ

ダイナミックマップは，車の自動運転の走行支援に不可欠な高精度な3次元地図で，道路や建物という時間的な変化の少ない静的な情報だけでなく，渋滞や周辺車両，工事状況などのような時々刻々と変化する動的な情報も合わせ持つ必要がある．そのため，地図情報を時間変化によってレイヤ分けして管理される．時間変化のほとんどない高精度の道路地図を基盤として，その上に建物や標識などの比較的時間変化の少ない情報のレイヤ，さらにその上に渋滞や工事状況などの時間・分単位で変化する情報のレイヤ，最上位に周辺車両は信号などの秒単位で変化するレイヤがあるという構造になっている．ダイナミックマップの実現には，車の高精度な測位のためのQZSS，高精度な3次元地図の作成のためのMMS，時々刻々と変化する動的情報の取得のためのIoT，高精度な3次元地図の自動更新のためのAIなどの技術が必要となる．

3.地理情報に関連する最新の動向

地理情報に関連する最新の動向として，自動運転，i-Construction，位置情報ゲーム，位置情報SNS(Social Networking Service)，交通・歩行者トリップデータを紹介する．

(1) 自動運転

自動運転は，人間が行っていた車の運転を機械が自動で行う運転である．自動運転車は，レーザスキャナやカメラ，GNSS受信機，ジャイロなどのセンサを搭載して周辺環境の情報を取得し，AIで周辺状況を認識し，ダイナミックマップを活用して，目的地を指定するだけで自律的に走行する．自動運転では，認知，判断，操作という形で運転行動の要素を分類する．

認知では，自車の周りの環境，自車の位置，自車の挙動を知る．自車の周辺環境は，カメラ，レーザスキャナ，赤外線レーザ，ミリ波レーザなどを用いて，車や人，標識，信号，白線などを夜間や悪天候のときでも精度よく認識する．自車の位置は，GPSや地図情報を用いてメートル単位の誤差で測位できるが，QZSSを用いることでより高精度な測位が可能となる．さらに，ダイナミックマップを用いることでセンチメートル単位の誤差で測位できるようにする必要がある．自車の挙動は，X軸，Y軸，Z軸の加速度と角速度を検出できる加速度センサやジャイロセンサを主に用いて，加速中や減速中，停止中，右折中，左折中，カーブ中などの運転の状態を認識する．

　判断では，認知で取得した情報を用いて，加速や減速，徐行，停止，右折，左折，車線変更などの次の操作を決める．操作の決定は，AIを用いる．AIでは，実社会では交通ルールがあるため，ルールベースのアプローチが用いられている．また，運転の快適さを追求するために，機械学習を用いて，運転の上手な人の情報やその時の周辺の情報を集め，解析することで，運転の質の向上させるアプローチもある．実際には，ルールベースと機械学習の2つのアプローチが組み合わされている．

　操作では，判断で決定した動作を迅速に行う．例えば，自車が走行すべき軌道を算出し，その軌道に沿って自車の走行を制御する．AIが決めた動作を迅速に行うためには，各機器の電動化が必要となる．

　日本政府は，東京オリンピック・パラリンピックが開催される2020年までに高速道路などで自走運転を実現化するという計画の下，自動車メーカやカーナビゲーション関連メーカなどが協力して研究開発を行っている．カーナビゲーション関連メーカには，アイシン・エィ・ダブリュ，アルパイン，クラリオン，ソニー，デンソー，パイオニア，パナソニックなどの数多くの日本の企業がある．自動運転にはこれまでのカーナビゲーションの技術も使用されることになる．カーナビゲーションは日本発の技術であり，カーナビゲーションを一般市民に普及させたのも日本であると言われている．日本のカーナビゲーション用の地図の標準フォー

マットにはJIS規格のKIWIがあるが，ダイナミックマップの標準フォーマットも必要になる.

　自動運転が実現すれば，今後の日本の大問題である少子高齢化や過疎化において，高齢ドライバによる事故の減少や過疎地における近隣スーパーや病院への移動手段としての利便性の向上などに繋がる効果もあると考えている.

(2) i-Construction

　i-Constructionは，国土交通省によって進められている取り組みで，建設工事における調査，測量，設計，施工，検査，維持管理のすべての工程でICT (Information and Communication Technology)を積極的に活用し，建設現場の生産性向上を図ることを目的している. 2015年11月に発表され，2016度より実施されている. i-Constructionの実施の背景には，日本における急激な少子高齢化が進むことで，就労人口が減り，建設業界でも人手不足が顕著になる状況の中，少ない人数で効率的に工事を行い，維持管理や災害対応も行わなければならないということがある.

　i-Constructionでは，ドローンを用いた3次元測量，ICT建設機械を使用した施工の大幅な自動化など，建設現場における工程の上流から下流まで大胆にICT技術の導入を図っている. 例えば，3次元計測や3次元設計技術の発展によって，すべての工程にわたって効率的な管理を可能にしている. また，各種センサや制御技術の発展によって，機器の自律性が大きく向上し，現場ごとに異なる作業でも自動化や機械化を進めることもできるようになっている. 具体的には，測量の工程では，ドローンを用いた写真測量などによって，短時間で高密度な3次元測量を実施することができる. 設計の工程では，3次元測量データと3次元設計データの差分を求めることによって，施工量(切り土量，盛り土量)を自動で算出することができる. 施工の工程では，3次元測量データや3次元設計データを用いてICT建設機械を自動制御し，建設現場のIoTを実施することができる. 検査の工程では，ドローンによる3次元測量を活用することによって，出

来形の書類が不要となり，検査項目を半減させることができる．

　橋梁，トンネル，河川，上下水道，港湾などのインフラ構造物の維持管理でもICTが活用されている．高度成長期以降に整備されたインフラ構造物について，建設後50年以上経過するインフラ構造物の割合が今後加速度的に高くなり，また建設業界の人手不足や政府の財源難もあり，インフラ構造物の画期的な維持管理の方法が必要とされている．インフラ構造物の維持管理において，破損箇所を見つけるための効率的かつ効果的なモニタリング技術が必要となる．そこで，MMSに搭載された赤外線サーモグラフィカメラやレーザスキャナで計測したデータを用いてトンネル内部や道路面，道路構造物の破損箇所を見つけること，ドローンに搭載されたカメラで得られた画像から護岸や橋梁の破損箇所を見つけること，橋梁に加速度センサや変位センサ，ひずみセンサなどを取り付けたIoTやAIを活用して早期に異常を見つけること，地下埋設物管専用の計測移動装置の開発などが行われている．

　インフラ構造物の効率的かつ効果的な維持管理が少子高齢化および人口減少が著しい地域社会の維持管理に直結すると考えられる．もしインフラ構造物の効率的かつ効果的な維持管理ができなければ，加速度的に消滅する集落が増え，コンパクトシティなどのような都市部に人口を集中させることが必要になることも十分に考えられる．

（3）位置情報ゲーム

　位置情報ゲームは，スマートフォンやタブレットなどの携帯端末上で遊べ，GNSS受信機で位置情報を取得し，ジャイロセンサや地磁気センサで方向を取得する．取得した位置や方向および地図情報を基にしてゲームを進めて行く．ARによって，現実空間上にキャラクタやアイテムなどの仮想の情報を重ね合わせて画面に表示する．位置情報ゲームの基本は現実世界を移動することにあり，ユーザが実際に行った場所を記録するようなものが多いが，場所を移動することで大規模な陣取り合戦を行うものもある．

図表6　ポケモンGOの画面

有名なゲームソフトとして，IngressやポケモンGO，国盗り合戦などがある．Ingressは，アカウントを作る際に2つのグループのどちらかを選び，ゲーム中の仮想のエネルギーを求めて現実世界を移動してアイテムを収集し，その場所を自分のグループのものとして陣地を広げていく．ポケモンGO(図表7参照)は，現実世界を歩きまわってポケモンをゲットする．位置と方向の情報および地図情報から，ポケモンが海から上陸したような演出も可能にしている．国盗り合戦は，ユーザが武将となって実際に足を運んだ土地を記録していき，全国統一を目指す．

　地域に都市部からの人を呼び込み地域の活性化を図るために，地域の歴史や文化，産業などを取り込んだ位置情報ゲームの開発が期待される．

（4）位置情報SNS

　位置情報SNSは，ユーザが公開した位置情報から興味の対象である出会いの場やイベントへの参加などのつながりが生まれる会員制のオンラインサービスである．代表的なSNSのFacebookやTwitter，Instagramなども位置情報を付与できる．例えば人の行動を分析する場合，既存のパネル調査では膨大なコストを要し，サンプル数も多くて数百のオーダであるが，位置情報SNSの情報を用いることで場合によっては何百万のオーダのサンプルを少ないコストで収集できるというメリットが生まれる．

　国や地方自治体の情報の9割以上が位置に関するものだとも言われているこ

とから，国や地方自治体の政策などにも位置情報SNSの情報を用いて分析した結果を生かすことが期待される．

(5)交通・歩行者トリップデータ

　カーナビゲーションやスマートフォンのGNSS受信機から位置情報を取得し，車や歩行者の移動を高精度で記録した交通・歩行者トリップデータが注目されている．交通・歩行者トリップデータは，毎日膨大な車や人から取得されて，サーバ上に蓄積されている．個人情報保護法もあり，自動車メーカ，カーナビゲーション関連企業，通信事業者，IT企業は交通・歩行者トリップデータの取り扱いに慎重で，生の交通・歩行者トリップデータは公開されていない．生の交通・歩行者トリップデータをメッシュデータとして，メッシュ内に流出入する人の数を時系列に提供することで個人を秘匿することができる．企業内で交通・歩行者トリップデータを分析することは可能であり，さまざまな知見が得られるため，自社の戦略にも活用できる．

　東日本大震災や熊本地震では，交通・歩行者トリップデータを可視化している．東日本大震災において，交通・歩行者トリップデータを基に，避難行動の解明や住民孤立の実態，SNSによる救援や救助の可能性の検討，被災地域の人口変遷および復興格差の分析などが行われている．熊本地震では，自動車メーカの交通トリップデータが利用され，通れない道などの情報を抽出して一般公開している．さらに，将来起こる首都直下地震や南海トラフ自身などの広域災害において，人の命を守るために交通・歩行者トリップデータの活用が行われている．

　個人情報保護法を留意した上で，今後の社会の発展のために公的に交通・歩行者トリップデータを積極的に利用していくことが必要であると考えられる．

4.3次元景観シミュレーション

　著者がこれまでに行ってきた地理情報に関連する研究として，3次元景観シ

ミュレーションを紹介する．まず3次元景観シミュレーションについて概説し，次に3次元空間の構築の方法を説明し，最後に3次元空間内をスムーズに移動できるリアルタイムレンダリングの方法について説明する．

(1) 背景

　地理情報の利活用において，コンピュータグラフィックスや画像処理などの技術を用いて人に視覚的に分かりやすく情報を伝達するというものがある．例えば，カーナビゲーションに使われている電子地図や建設予定の景観検討に使われているフォトモンタージュなどである．　3次元景観シミュレーションもその一つである．

　景観シミュレーションは，土木や建設，建築に関連する業界で要求される計画構造物の完成後のイメージを視覚的に表現するもので，景観の検討や評価，プレゼンテーションなどに活用されている．この背景には，景観も環境問題の一つとして注目されるようになったことや，建設工事などで事前に地域住民のコンセンサスをえることが不可欠となり，建設後のイメージを分かりやすく伝達する必要がでてきたことなどがある．このような景観シミュレーションに必要な要素として，客観性があるようにすること，多くの人のイメージを共有させること，個人の知りたい眺望を満足させることなどがある．

　3次元景観シミュレーションは，測量技術によって得られた高精度なデータを基に現実世界を立体的に再現して，ウォークスルーやスカイスルーであらゆる角度からの景観を閲覧できるようにしたシステムである．3次元景観シミュレーションは，上述の景観シミュレーションに必要な要素をすべて満たしてい

図表7　3次元景観シミュレーションの例

ることもあり，多くのユーザから便利であると認識されるようになっており，人への意思伝達の方法として大変わかりやすく有効であることが実証さてれている．3次元景観シミュレーションの例を図表8に示す．

(2) 3次元空間の構築の方法

　3次元景観シミュレーションは，デジタル写真測量やレーザスキャナなどの測量技術により高精度の地形データや地物データを取得して，これらのデータに航空写真の正射投影写真（オルソフォト）や高分解能衛星画像，デジタルカメラの写真画像などをテクスチャマッピングして，現実世界に似た3次元空間を作成する．

　地形データは，不規則な三角網（TIN：Triangulated Irregular Network）や正規メッシュ（DEM：Digital Elevation Model）で表現する．TINとDEMの例をそれぞれ図表9と図表10に示す．TINは，図表11に示すように道路や尾根，谷などの傾斜が変化する場所に多くのブレークラインを設けて作成されることが多い．また，地物データは家屋や橋梁などを3次元データとして取得することで

図表8　TINの例

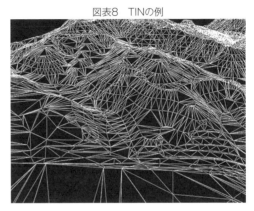

図表9　DEMの例

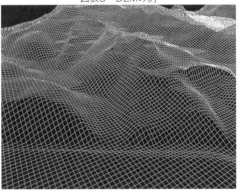

図表10　ブレークラインの例

図表11　画像処理によるオルソフォトのモザイク接合部の色調調整

(a)モザイク直後のオルソフォト　　　　　　　　(b)色調調整後のオルソフォト

作成される.

　オルソフォトは，取得した地形データに航空写真を投影し，真上から見た状態に投影変換することで作成される．オルソフォトのモザイク時に生じる接合部の不連続な色調の境界は，画像処理により除去し，視覚的に違和感のないようにされる．また，建物など地物を避けてモザイクの接合部の境界が決定される．オルソフォトのモザイクの接合部の色調を画像処理によって調整した例を図表12に示す.

(3)リアルタイムレンダリングの方法

　3次元景観シミュレーションで必ず使用するTINやDEMなどの地形データのデータ量が大きくなると，リアルタイムレンダリングを行う際，1秒間に描画できるコマ数が少なくなり，人の目で見て不自然なものとなる．映画で1秒間に24コマ，テレビで1秒間に30コマのフレームを描画しており，視覚的に違和感を与えないためには1秒間に24コマ程度の描画が求められる．しかしながら，全データをそのまま描画すると，データ量が大きく，処理性の低いコンピュータを用いた場合では描画が遅くなる．そこで，ここではDEMに注目し，DEMを高速に描画させ

るための一手法について説明する．

　DEMを描画する際，図表13に示すように視野に含まれるデータのみを描画した方が，全データを描画するよりも高速に描画できる．このとき，各メッシュが視野に入るかどうかを全データに対して判定すると，この判定処理に多くの計算量を要する．そこで，メッシュを$n \times n$のブロックに分割して，各ブロックの重心が視野に入るかどうかを内積で判定し，視野に入れば$n \times n$のブロック内のメッシュを描画し，入らなければ描画しないとする．内積による判定は，次式の$\cos \theta$がある値以上であれば描画するというものである．

$$\cos\theta = \frac{\vec{s} \cdot \vec{t}}{\|\vec{s}\|\|\vec{t}\|}$$

　ここで，$\vec{s}$は視線の方向ベクトル，$\vec{t}$は視点からブロックの中心への方向ベクトルである．これによって内積による判定の計算量は減るが，視野外のメッシュも少なからず描画することになるため，その分の描画のための計算量が増える．したがって，ブロックの大きさをどれくらいにするかが重要になる．一方，視野内に描画されないメッシュも存在することになるため，図表13に示すようにブロックの大きさに応じて判定に用いる視野を少し広げる必要がある．このようにするこ

図表12　視野に入る条件の判定

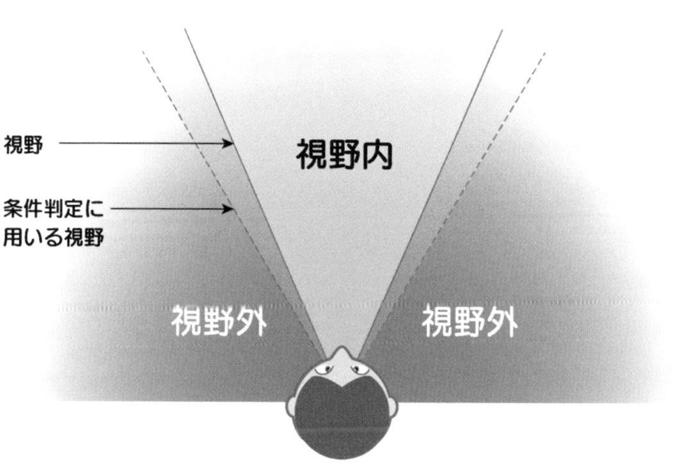

とで，結果的に全データをそのまま描画するよりも高速な描画を実現できる．以下に，本手法の手順を示す．

手順0：メモリ内にDEMを読み込む．

手順1：メッシュを$n \times n$のブロックに分割する．

手順2：各ブロックの中心が視野に入るかを内積で判定する．

手順3：ブロックの中心が視野に入れば，描画する．一方，ブロックの中心が視野に入らなければ，描画しない．

参考文献

1 Carl Benedikt Frey and Michael A. Osborne(2013) The future of employment: How susceptible are jobs to computerization?, https://www.oxfordmartin.ox.ac.uk/downloads/academic/The_Future_of_ Employment.pdf,

2 佐田達典(2017)「GNSSの衛生観測と高精度測位の現状−実際の観測・測位事例の紹介−」JACIC情報, No.115 pp.5-9.

3 村井俊治(2013)「改訂版空間情報工学」日本測量協会,

4 Beacon Labo「パナソニックが高い指向性を有する独自のBluetoothビーコンを開発！『高精度屋内外位置情報ソリューション』の提供を開始！！」http://beaconlabo.com/2016/07/2515/, 2016.

5 日本写真測量学会編(2016)「Indoor 3D〜屋内マッピング・屋内測位・屋内ナビゲーションの最新研究〜, 写真測量とリモートセンシング」Vol.55 No.4, pp.232-253, 2016.

6 八子知礼・杉山恒司・竹之下航洋・松浦真弓・土本寛子(2017)「IoTの基本・仕組み・重要事項が全部わかる教科書」SBクリエイティブ株式会社.

7 織田和夫：解説(2016)「Structure from Motion (SfM) 第一回 SfMの概要とバンドル調整, 写真測量とリモートセンシング」Vol.55, No.3, pp.206-209.

8 和田恭(2010)「米国における拡張現実(AR)の導入に係る動向, JETRO/IPA New York『ニューヨークだより』, http://www.csaj.jp/government/other/2010/100913_jetro.pdf,

9 荒屋真二(2004)「人工知能概論(第2版)コンピュータ知能からWeb知能まで」共立出版.

10 瀧雅人(2017)「これならわかる深層学習 入門」講談社.

11 大野裕幸(2013)「測量新技術の精度検証と今後の活用−MMS及び航空機SAR−」第42回国土地理院報告会.

12 K. Mano, K. Ishii, M. Hirao, K. Tachibana, M. Yoshimura, D. Akcab, A. Gruen(2012) Eepirical Accuracy Assessment of MMS Laser Point Clouds, International Archives of the Photogrammetry, Remote Sensing and Spatial Information Sciences, Vol.XXXIX-B5, pp.495-498, 2012.

13 日経パソコン編集部(2016)「ダイナミックマップ」日経パソコン, http://tech.nikkeibp.co.jp/it/atcl/keyword/15/050900002/062100011/

14 ダイナミックマップ基盤企画, ゼンリン, インクリメントP, HERE(2017)「特集 ダイナミックマップの展望, GIS NEXT」No.58, pp.12-27.

15 アイ・アール・エス(2017)「第4話 自動運転の技術 〜『認知』『判断』『操作』を自動でするために〜」http://www.irs-japan.com/?p=5923

16 国土交通省, テラドローン, コマツ, オーディオディスク(2017)「特集 漕ぎ出した建設ICT革命 −i-Constructionの現状と課題, GIS NEXT」No.59, pp.12-27.

17 日本写真測量学会編(2016)「小特集『インフラ構造のモニタリング』」, 写真測量とリモートセンシング」Vol.55, No.1, pp.17-31.

18 阿部博史(2014)「『震災ビッグデータ』から見えてきた東日本大震災の姿, 放送メディア研究」No.11, pp.273-289.

19 西村隆宏・高口大樹(2014)「位置情報付きソーシャルデータの解析例, GIS NEXT」No.46, pp.66.

20 神武直彦監修, 中島円著(2017)「センサーシティー 都市をシェアする位置情報サービス」インプレス.

21 柴田智・穴見智広・是石幸男・平岡透(2000)「デジタル写真測量とリアルタイムレンダリングの技術を用いた3次元景観シミュレーション 一般国道220号牛根大橋起工式の活用事例, 測量」Vol.50, No.12, pp25-28.

22 平岡透・是石幸男・浦浜喜一(2001)「デジタル写真測量とリアルタイムレンダリングを用いた景観シミュレーションの利活用, 電子情報通信学会技術研究報告」Vol.101, No.456, pp.9-14.

23 平岡透・浦浜喜一(2003)「リアルタイムレンダリングのためのDEMの高速描画方式, APA」No.84, pp27-29.

24 平岡透・是石幸男・浦浜喜一(2003)「広域DEMのシームレスな高速描画法, APA」No.85, pp101-104.

25 平岡透(2005)「景観シミュレーションとリモートセンシングのための画像解析技術に関する研究」博士論文(九州芸術工科大学).

26 平岡透・山田清文・浦浜喜一(2006)「三次元GISのためのTINの高速描画法, 先端測量技術」No.89-90合併号, pp122-125.

色彩情報と人間

情報システム学科　片山　徹也

　私たちは，多種多様な自然の色と人工の色に囲まれて生活している．そして，目が不自由でない限り，色の見え方に個人差はあるものの誰でも色を見ることができる．そのため，空気や水と同じように色が存在することは当然と感じ，日々の生活の中で改めて色を意識する場面は少ないかもしれない．しかし，私たちの周囲に溢れる多くの色は，快適さや好き嫌い，食欲や購買欲，物の見やすさや使いやすさなど，人間の心理や行動に対してさまざまな影響を及ぼす．つまり，私たちにとって「色」とは，情報の伝達や感情の変化などの多様なコミュニケーションにおける有用な要素でありツールともいえる．

　近年，IT(Information and Technology)やICT(Information and Communication Technology)と呼ばれる情報技術の利活用は，幅広い領域で広がりを見せている．情報技術を用いたデバイスやコンテンツにおいても，色は重要な役割を担っている．情報としての色彩の重要性は，衣食住はもとより建築，景観，経済などの多方面において高まっているといえる．そこで，本章では，色と光，色を感じる仕組み，色の表示と感情効果など色彩に関する基礎理論を概説し，色と人間との関係を踏まえながら，これからの高度情報化社会における色彩情報の望ましい活用方法について考える．

1.色とは

（1）色と光

　私たち人間は，暗い場所で赤い林檎を見てもその赤い色を見ることができない．これは，光と物体と人間の視覚の3つが揃うことで，色を感じることが可能になるからである．17世紀の物理学者ニュートンは，プリズムを用いた実験により光とは何かを明らかにした．白色光である太陽の光は，プリズムに入射させることで，赤・橙・黄・緑・青・藍・紫の7つの色の光に分けることができる．この光の帯をスペクトルという(図表1)．そして，分光された光のうちの1色をプリズムに入射させてもそれ以上の色に分けることはできない．それ以上の色に分けることのできない光は，単一の波長による光であり，単色光と呼ばれる．つまり，光とは波長の異なる光の集まりといえる．電磁波の一種である光の波長は，短波長端が380nm，長波長端が780nmの範囲であり，この範囲外の波長である赤外線や紫外線と区別する場合，目に見える光は可視光線と呼ばれる．電磁波は，その波長(周波数)によっていくつかの種類に分けられ，光より短い波長の電磁波は，紫外線，X線，γ線，光より長い波長の電磁波は赤外線，テレビやラジオの電波などに区分される(図表2)．

　光は，物体に当たることで反射し，吸収され，物体の特性により透過する．私たちは，物体を反射または透過した光を色として知覚し，その物体が光のどの波長を反射または透過するのかによって色の違いを感じることができる．例えば，赤い林檎に白色光が当

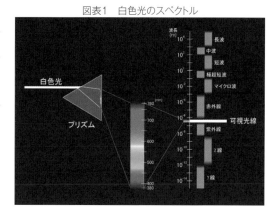

図表1　白色光のスペクトル

図表2　電磁波の波長と種類

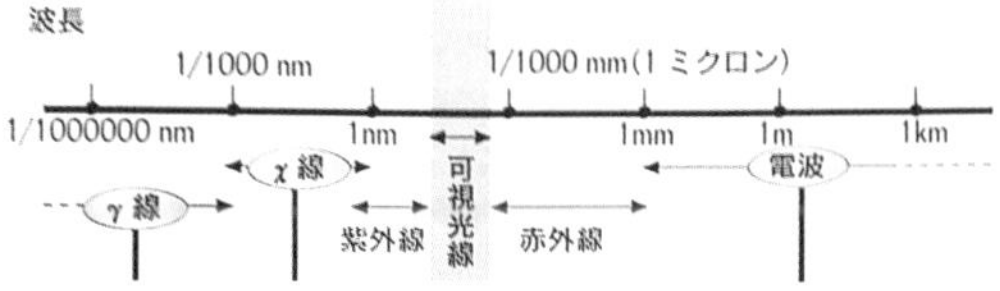

たっている場合，赤色や橙色の光は多く反射し，黄色から紫色の光はあまり反射しないため，赤色と感じるのである．このように，私たちは目によって光を取り入れ，色彩情報として受け止める．私たちが目にする色は，物体を反射した光による表面色，物体を透過した光による透過色，光源から出る光の色である光源色の3つに分類することができる．

　また，光には自然の光と人工の光があり，光環境や光源の違いによって色の見え方は異なる．これは，自然光，LED照明，蛍光灯，白熱灯などの光源や照明機器の種類によって分光分布が異なるためである．分光分布とは，対象の光に各波長の光がどの程度含まれているかを表したものである．国際照明委員会（CIE：Commission internationale de l'éclairage, 以下CIEと表記）は，色を正確に測定するための測色用の光として，標準イルミナントA，D65の2種と補助標準イルミナントを定めている．これは，日本工業規格JIS Z 8720にも採用されている標準光源である．光源の違いによる色の変化は，色温度（単位：ケルビン）で表される．光の色は，色温度が高くなるに従い白から青に変化し，低くなると赤みを帯びてくる．

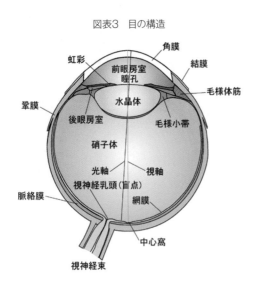

図表3　目の構造

角膜
虹彩
結膜
前眼房室
瞳孔
毛様体筋
鞏膜
水晶体
後眼房室
毛様小帯
硝子体
光軸　視軸
視神経乳頭(盲点)
脈絡膜
網膜
中心窩
視神経束

(2)色を感じるメカニズム

　視覚とは，目で物を見る感覚の働きのことである．人間の眼球は図表3に示す構造をしている．水晶体がカメラでいうレンズの役割を果たし，水晶体の前にある虹彩は，入ってくる光の量を調節する絞りの役割を持つ．眼球の奥にある網膜は，カメラでいうフィルムに相当し，神経細胞によって構成される．網膜の構造を図表4に示す．物体からの反射光または透

過光が目に入ると，網膜内の視細胞が光を感じ取り電気的信号に変換し，視神経によって脳に伝達されることで視感覚となる．明所では，視細胞のうち錐体細胞が色（赤，緑，青）に反応し，暗所では，桿体細胞が明暗に反応する．錐体には，長波長の光に反応するL錐体，中波長の光に反応するM錐体，短波長の光に反応するS錐体の3種類がある．錐体が主に働く明所では赤色の光に近い560nm付近で最も感度が高く，桿体が主に働く暗所では青色の光に近い510nm付近で最も感度が高い．可視光の各波長における目の感度を示す曲線である分

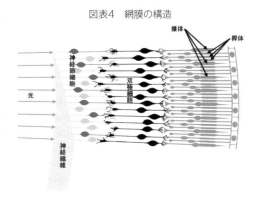

図表4　網膜の構造

図表5　明所と暗所での分光視感効率曲線

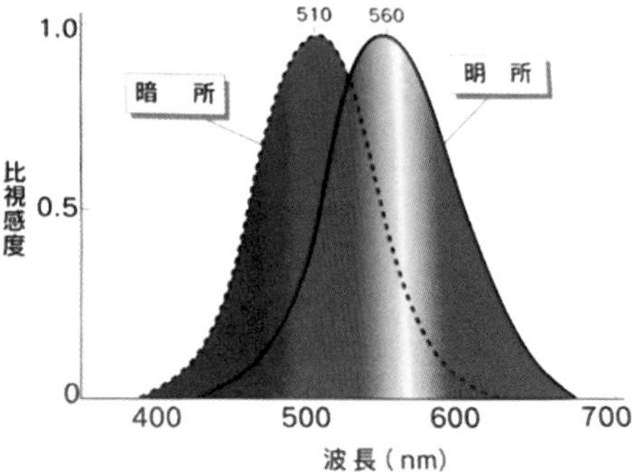

光視感効率曲線を図表5に示す．このように明所と暗所では目の感度にずれが生じるため，明所での赤は明るく，青は暗く見えるのに対し，暗所ではその逆に見える．この現象はプルキンエ現象と呼ばれる．

　2007年の研究により，網膜の錐体細胞と桿体細胞を失い，50年間盲目だった高齢女性に青色光を照射したところ明るさを感じたことから，メラノプシン発現網膜神経節細胞（ipRGC：intrinsically photosensitive retinal ganglion cell）の存在が明らかになった．ipRGCは青色光に最も敏感に反応することがわかっている．ipRGCは明るさの知覚に影響する新たなる視細胞として，近年，瞳孔反射や体内時計ともいえる概日リズムとの関連などについて研究が進められている．

(3) 光と色の三原色

　光の三原色は，赤(Red)と緑(Green)と青(Blue)である．光源色によって色を表現する方法は，加法混色と呼ばれる．異なる色の光を加えることで色を表現する加法混色では，色を重ねるほど明るくなり，色光のR, G, Bを等量で混ぜ合わせると白色になる．このR, G, Bの3色による色の表現方法は，コンピュータディスプレイやデジタルカメラなどで用いられる．

　色の三原色は，シアン(Cyan)，マゼンタ(Magenta)，イエロー(Yellow)である．反射光によって色を表現する方法は，減法混色と呼ばれる．光の吸収によって，ある色からある色の光を取り除く減法混色では，色を重ねるほど暗くなり，理論上CMYの3色を混ぜ合わせると黒色になる．しかし，混色によって完全な黒を再現することは難しいため，カラー印刷ではC, M, Yの3色にブラック(K)を加えたCMYKの4色が用いられる．

(4) 色の表示

　色を定量的に表示することを表色といい，表色のための一連の規定と定義からなる体系を表色系と呼ぶ．色知覚における心理的な三属性(色相，明度，彩度)によって定量的に分類した色の表し方を顕色系という．測色器で測色された光の分光特性に基づく色の表し方を混色系という．本節では，顕色系である色の三属性による表示，混色系である三刺激値による表示，色名による表示を紹介する．

①色の三属性による表示

　色を表現する方法の一つとして，色の三属性である色相，明度，彩度を用いた方法がある．色相とは，赤みや青みなど色みの性質のことである．色相を光のスペクトルの順に従い環状に並べたものを色相環という．図表6は，日本色彩研究所による日本色研配色体系(PCCS：Practical Color Coordinate System)の色相環である．色相環において，各々正面に相対する色の組み合わせを補色と呼ぶ．赤，青など色みをもつ色は有彩色，白，黒，灰のように色みをもたない色を無彩色と

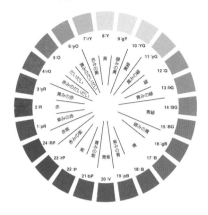

図表6　PCCS色相環

図表7　PCCS色立体（日本色研配色体系）

呼ぶ．彩度とは，色みの強さのことであり，最も色みの強い色を純色と呼び，色相環は純色で表される．明度とは，色の明るさの度合いのことであり，無彩色で最も明度が高い色は白，最も明度が低い色は黒である．色相，明度，彩度を三次元で立体的に表現したものを色立体という（図表7）．色立体の中心軸は，無彩色の軸であり，縦軸は明度，横軸は彩度である．色相は，色立体の中心軸より周囲360度のどの角度を向いているかによって示す．

　PCCSにおいて，明度と彩度を合わせた概念は色の調子（トーン）として表現され，有彩色はv（ビビッド），dp（ディープ）など12のトーンに区分される（図表8）．PCCSの色相は24色相に分けられ，赤の色相から番号を付し，1:pR〜24:RPと表す．明度は，17段階と

図表8　PCCSトーンの配置図

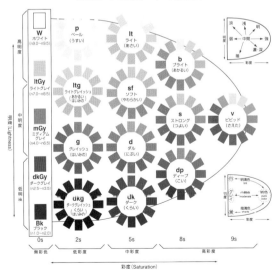

し，白を9.5, 黒を1.5と表す．彩度は，9段階とし，最高彩度を9sと表す．

　色の三属性による表示方法として，PCCSの他にマンセルシステム，オスワルトシステムなどが挙げられる．マンセルシステムは，アメリカの画家マンセルが創案した体系を，CIEシステムに従って修正したものである．日本では，JIS Z 8721（色の表示方法－三属性による表示）として規格化され，測色管理の色体系として広く用いられている．オストワルトシステムは，全ての色を黒，白，純色の三要素の混合量によって表現する．これは，ヘーリングの四原色説（黄，藍，赤，青緑）に基づくものである．

②三刺激値による表示

　CIEによって承認された色の表し方としてRGB表色系とXYZ表色系がある．これらの表色系は，全ての色は光の三原色である赤(R)と緑(G)と青(B)の加法混色によって表色できるという考え方に基づく．しかし，色によっては鮮やか過ぎてR, G, Bの混色比をいかに操作しても再現できない色がある．そこで，X, Y, Zという原刺激を仮想することで，実在する色光RGBの混色で再現できない色までも表現を可能にしたのがXYZ表色系である．三原刺激X, Y, Zの混色量であるXYZで示される数値を三刺激値と呼ぶ．XYZ表色系とRGB表色系との関係並びにXYZ表色系における三刺激値XYZから色度xyzを求める式は，次のように示される．

$$X = 2.7689R + 1.7517G + 1.1302B$$
$$Y = R + 4.5907G + 0.0601B$$
$$Z = 0.0565G + 5.5943B$$

$$x = X/(X+Y+Z)$$
$$y = Y/(X+Y+Z)$$
$$z = Z/(X+Y+Z)$$

XYZ表色系における色は，混色比で表されるため，x＋y＋z＝1となる．xとyの値からzの値が分かるため，色度座標はxとyを用いて表示される．この色度図をxy色度図という（図表9）．xy色度図は，縦軸が色度y，横軸が色度xを示し，馬蹄形の範囲が表現できる色域である．色相に相当する主波長と彩度に相当する刺激純度を表し，明るさに相当するものは表していない．xy色度図を用いて

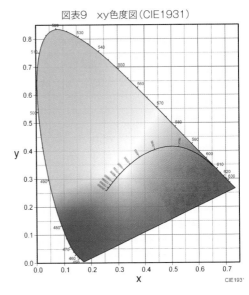

図表9　xy色度図（CIE1931）

色を表す場合，原刺激の混色量Yを組み合わせた三要素で表すことからXZY表色系はYxy表色系とも呼ばれ，xyは色相と彩度の情報，Yは明度情報という概念に対応する．

③色名による表示

　日本工業規格の色名法はJIS系統色名とJIS慣用色名に区分され，JIS Z 8102:2001「物体色の色名」によって規定されている．系統色名は，有彩色と無彩色の基本色名に明度及び彩度に関する修飾語を付け，「あざやかな赤」，「くすんだ青」，色相に関する修飾語を付け，「明るい黄みの赤」，「ごくうすい緑みの青」のように表す．慣用色名は，一般的にその色名から色を類推できるよう，植物，動物，鉱物などの色からとられた269色（和色名147色，外来色名122色）で構成される．「桜色」，「鶯色」，「エメラルドグリーン」のように表す．慣用色名について，近年使用されていない実態や世代によって色名及び対応する色が認知されていないことが報告されている．慣用色名は，それぞれの時代や社会において用いられてきた伝統色名としての文化的価値も有するため，今後の活用についての

検討が望まれる.

(5) 色の見えと感情効果
①色の対比
　私たちは, 生活の中で1色のみの色の刺激を受けることは少なく, 常に複数の色を目にすることが多い. 色は, 隣接する色や背景の色など他の色の影響を受け, 実際の色とは異なる見え方をする場合がある. これを色の対比と呼ぶ. 色の対比には, 継続対比と同時対比がある. 1つの色を見ていて, 他のものに目を移した際に前に見ていた色に影響されることで異なる見え方をすることを継続対比という. 同時に2つの色が影響しあうことで異なる見え方をすることを同時対比という.

　継続対比は, 主に補色残像によって引き起こされる. 例えば, 赤い色をしばらく見続けて, 白い面に目を移すと赤の補色であるシアン(青緑)の色が見える. これは, 1つの色を長時間見続けると, その色の刺激によって網膜(視細胞)の反応が弱められ, その状態で別の対象を見ると元の色の反対色が心理補色として現れるためである.

　同時対比は, 色の三属性である色相, 明度, 彩度の各要素において起きる. 背景色の色みの影響を受け, 中に置かれた図柄の色が異なって見える現象を色相対比と呼ぶ. 色相対比では, 図柄の色が背景色の残像として現れる心理補色の方向へ変化して知覚される. 背景色の中に置かれた図柄の色は, 背景色の明度が高いと暗く見え, 背景色の明度が低いと明るく見える. この現象を明度対比と呼ぶ. 背景色の中に置かれた図柄の色は, 背景色の彩度が高いと図柄の色の彩度は低く感じられ, 背景色の彩度が低いと図柄の色の彩度は高く感じられる. この現象を彩度対比と呼ぶ. 私たちの生活の中において, この色相対比, 明度対比, 彩度対比は独立して見られるのではなく, 複数の対比が重なって起きているといえる.

②色の見え方

　屋外で広告看板や案内表示などを遠くから眺めると，よく見える色とあまり見えない色とがある．遠くからはっきりと見えるかどうかを視認性という．背景が黒の場合，明度の高い黄，黄橙，黄緑，橙の視認性が高い．文字や記号の指示的意味の認知しやすさを可読性という．文字や記号の色と背景色との明度差が大きいほど視認性や可読性が高く，見やすく読みやすいといえる．色が人の注意を引きつける度合いを誘目性という．一般に，赤，橙，黄などの暖色系の色の誘目性は高く，緑，青，紫などの寒色系の色の誘目性は低い．交通標識は，視認性，可読性，誘目性の高い配色が用いられている．また，明るい色は暗い色より進出して見えることから，暖色系の色は進出色，寒色系の色は後退色と呼ばれる．進出色は，実際よりも大きく見えるため膨張色といい，後退色は実際より小さく見えるため収縮色という．

③色のイメージと感情効果

　私たちは，色に対してさまざまな印象を持つ．そして，人それぞれの生活体験や環境などの違いによって受け止め方は異なる．しかし，地域，民族，文化を越えて人間が普遍的に感じる色彩感情がある．暖色系の色は暖かく感じ，寒色系の色は冷たく感じる．寒暖の感情を感じさせない色は，中性色という．彩度の高い色ほど派手に感じ，低い色ほど地味に感じる．明度も同様に高い色は派手に，低い色は地味に感じるが，派手さ・地味さへの影響は彩度がより強く影響する．軽さと重さには明度が影響し，明度が高い色は軽く，低い色は重く感じる．柔らかさと硬さも同様に，明度が高い色は柔らかく，低い色は重く感じる．彩度もやや影響し，中彩度の色は柔らかく，高彩度と低彩度の色は硬く感じる傾向にある．暖色系で明度と彩度が高い色は，興奮感や積極性を感じ，暖色系で明度の低い色は，沈静感や消極性を感じる．また，純色の赤，橙，黄は興奮感を感じ，青，青緑，青紫は沈静感を感じる．

　色の心理的効果を多面的に分析する手法の一つに，SD法(Semantic Differential

method)と呼ばれる方法がある．SD法では，反対語の対をスケールとして測定し，色彩の感情的な面を捉えることができる．好き-嫌い，自然-不自然，複雑な-あっさりとした，動的-静的，強い-弱いなどのイメージを定量的に評価する際に用いられる手法である．前述した色が持つイメージや感情効果を正しく理解することで，色彩をより効果的な情報として活用することが可能になる．

(6) 色彩調和

　ある色と色の組み合わせを見て快さや美しさが感じられる場合，その配色は調和しているといえる．色彩調和とは，2つの色または多色の配色に秩序を与え，統一と変化などの対となる要素のバランスを取り，調和させることである．色彩調和は，カラーハーモニーともいう．配色に対する快さや美しさの感じ方は，個人の感性や趣向によって異なるが，多くの人が快さや美しさを感じる時の色彩調和の原理について数多くの研究がなされてきた．アメリカの自然科学者ルードは，「現代色彩学：1879」において，自然光のもとで観察した色の見え方に合致するように配色することで，人間が最も馴染んでいる色彩調和になることを指摘している．例えば，樹木の葉の色は，日光が当たる部分は明るく黄みの緑に見え，日陰の部分では暗く青みの緑に見える．この自然界の原理を踏まえ，色相環の黄に近い色を明るくした色と黄から遠い色を暗くした色を組み合わせた配色は，自然な調和になるという原理である．この原理に沿った色彩調和の方法を，ナチュラルハーモニー（自然な調和）と呼ぶ．ナチュナルハーモニーによる2色の明度の関係を逆にした配色は，コンプレックスハーモニー（複合的な調和，不調和の調和）と呼ばれる．コンプレックスハーモニーは，特徴的な印象を与える配色として用いられる．

　表色系の創案者であるマンセルとオストワルトは，20世紀初頭にそれぞれの色立体によって色彩調和を説いた．その後，ムーンとスペンサーは，マンセルシステムをもとにした色彩調和論を発表し，調和・不調和の関係を美度と呼ばれる指数によって算出する方法を考案した．現在，マンセルシステムは，印刷や製品管理などの分野において色票を用いる標準的な表色系として広く活用されている．

2. 情報技術と色

　近年，多方面においてIT(Information and Technology)やICT(Information and Communication Technology)の利活用が急速に拡大している．これらの情報技術を用いたデバイスやコンテンツにおいて，色は重要な役割を担っている．本節では，情報技術を活用する上での色彩情報の取り扱い方，情報技術による恩恵を受けながら誰もが豊かな社会生活を送るための色彩情報の活用法について考える．

(1)デジタルコンテンツの色空間

　ウェブサイト，ゲーム，ソフトウェアなどのデジタルコンテンツは，コンピュータ，タブレット，スマートフォンなどさまざまな機器を介して利用される．同じ画像でも，閲覧に用いる機器によってその色みが異なると感じられる場合がある．これはデジタルコンテンツを作成する際に用いられる色空間(カラースペース)や表示に用いる機器の特性が異なることに起因する．

　一般に色彩学でいう表色系には含まれないことが多いが，コンピュータ上で使用される色空間はカラーモデルとも呼ばれる．HSBカラーモデルとHLSカラーモデルは，表色系のマンセルシステムと類似し，色を3軸で表現する．HSBカラーモデルの3軸は，色相(hue)，彩度(saturation)，輝度(brightness)，HLSカラーモデルの3軸は，色相(hue)，明度(lightness)，彩度(saturation)となっている．HSBカラーモデルは，ソフトウェアによって輝度(brightness)としてvalueを用い，HSVと表記される場合もある．OSやソフトウェアのバージョンによって異なる場合もあるが，一般にHSBカラーモデルの色相は0°〜360°の角度で表し，彩度と輝度は0%〜100%までの値で示す．HSLカラーモデルでは，各パラメータとも0〜255までの256段階の値で示す．

　IECが定めたsRGBカラーモデルは，色空間に関する国際的な標準規格として，ディスプレイやプリンタをはじめとする多くの一般的な電子機器に採用され，汎用性の高い色空間として普及している．アドビシステムズによって策定されたAdobeRGBカラーモデルは，sRGBカラーモデルより広い色領域をカバーしてい

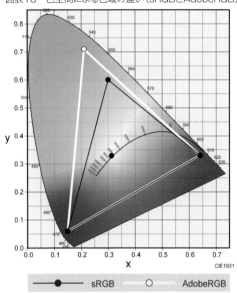

図表10　色空間による色域の違い(sRGBとAdobeRGB)

● sRGB　　　○　AdobeRGB

る．デジタルカメラの対応をはじめDTP(Desktop Publishing)と呼ばれるコンピュータを活用する印刷の分野では，AdobeRGBカラーモデルが標準的に使用されている．Wide Gamut RGBは，AdobeRGBカラーモデルよりさらに広域の色を表現できるカラーモデルである．コンピュータで作成したデータを紙媒体として印刷する場合に使用されるのが，CMYKである．減法混色の理論上，シアン(C)，マゼンタ(M)，イエロー(Y)の3色で全ての色が表現できるが，実際の印刷においてこの3色を混色して完全な黒を表現することは難しいため，ブラック(K)のインクを加えたCMYKの4色によって印刷される．

　前述した各々のカラーモデルによって，表示できる色域は異なる．また，それらを表示するディスプレイ機器の性能や特性によっても，表示できる色域は異なる．同じ画像でも，コンピュータディスプレイで表示された色と印刷された色が違って見える場合があるのはそのためである．利用者や表示機器によって，色が異なる見え方をすることから生じる問題を解決するには，後述する異なるデバイス間で色を管理する技術が重要となる．

(2)カラーマネジメント

　デジタルコンテンツなどを画像表示端末(VDT:Visual Display Terminal)で表示すると，利用者や使用機器によって色が正しく再現されず，色の見え方が異なる問題が発生する．そのために，画像の入出力，表示機器間で色の整合性を管

理することが必要となる. 一般にカラーマネジメントとは, さまざまな入出力機器固有の色再現領域を考慮し, 異なる機器間で同じ色を再現するための処理技術を指す. その色管理のためのシステムを, カラーマネジメントシステム(CMS)と呼ぶ. CMSでは, 機器に依存する色空間を機器に依存しない絶対色空間に変換し, 出力時にそれぞれの出力機器に応じた画像を出力する. 絶対色空間は, PCS(Profile Connection Space)と呼ばれ, XYZ色空間などが使われる. このときCMSにおいて色変換を行うモジュールは, CMM(Color Management Module)と呼ばれる. 近年の入力機器や出力機器のほとんどはsRGBに対応しているため, PCSはsRGBによる標準色空間を用いることが多い. プリンタへの色処理フローでは, 入力データとして受け取ったsRGBデータを, コンピュータでCMMを操作することで出力機器の特性に合わせたRGB変換を行う. その後, デバイス固有の処理として, 印刷用のCMYKへの色変換が行われる.

　機器の色特性を記述し画像データを交換するための仕組として, ICCプロファイルが挙げられる. ICC(International Color Consortium)は, 複数の企業によって設立されたカラーマネージメントシステムの標準化を目指す団体である. ICCプロファイルは, ICCによって国際標準化されたもので, 各入力デバイスやモニタ, 出力デバイスの色空間設定や, プロファイル同士の変換を行う設定などが記述された定義ファイルである. CMSでは, 画像などの各データの作成時や各機器をコントロールするドライバーでICCプロファイルを適切に設定することで, より再現度の高い色変換が行われる. ICCプロファイルは, 各機器に付属している場合が多く, 機器メーカーのウェブサイトよりダウンロードできる場合もある. 色の管理を行うには, カラーマネジメントに対応したディスプレイなどの表示機器を用い, プリンタ, カメラなどのデバイスがサポートする色空間を把握した上で, 使用するソフトウェアにおいて画像デ　タを取り扱う際, ICCプロファイルなど色に関する設定を適切に行うことが必要である.

(3) ウェブコンテンツの技術指針

　ウェブサイトなどに代表されるデジタルコンテンツの色彩をどのように設計する
かは，そのコンテンツのイメージ醸成や利用者にとっての使いやすさや読みや
すさに直結する重要な要素となる．2008年，World Wide Web Consortium(以
下W3Cと記載)がウェブコンテンツの技術指針として「Web Content Accessibility
Guidelines 2.0」(以下，WCAG 2.0と記載)を勧告した．W3Cは，インターネットに関
する技術開発と標準化を行っている国際的団体である．WCAG 2.0は，Web
アクセシビリティを確立することを目的とするガイドラインとして勧告された．そ
の後，2012年に「ISO/IEC 40500:2012」として国際規格化された．この基準
は，2016年に国内規格「JIS X 8341-3:2016」「高齢者・障害者等配慮設計指針
－情報通信における機器，ソフトウェア及びサービス－第3部：ウェブコンテンツ」
として採用された．このWCAG 2.0は，閲覧のためのウェブサイトだけでなくウェ
ブを介したアプリケーションシステム，ウェブサービスにおいても，利用者の使い
やすさや読みやすさを確保するための達成基準として国内外におけるデファクト
スタンダードとなった．

　WCAG 2.0及び上記ISO, JIS規格により，ウェブコンテンツの技術的仕様の各
項目においてレベルA, AA, AAAの3つの達成基準が示されている．色彩設計と
関わりのある項目として文字と背景のコントラストが挙げられる．テキスト及び文
字画像の視覚的提示には，少なくとも4.5:1のコントラスト比が最低限のレベルとし
て求められる．ただし，大きな文字(22ポイントまたは18ポイントの太字)の場合のコントラ
スト比は3:1以上とされる．コントラスト比は，各色に設定されたRGBの各値から
算出される．明度差が最大になる白と黒の場合，コントラスト比は21:1となる．

　2018年6月，W3CによりWCAG 2.1が勧告され，モバイルアクセスへの対応，
ロービジョン・認知障害・学習障害に関する規定が追加された．WCAG 2.0及び
2.1では，二配色の明度差を確保することで読みやすさを保つよう示されている
が，選色における色相や彩度の取り扱い方法は規定されていない．先行研究に
より，WCAG 2.0に適合する配色においても，高彩度の背景色を用いた陰画表

示モードは見やすさや読みやすさを低下させる可能性が示唆された．また，画面に対するイメージ評価が低い配色は，CFF値（臨界融合周波数）による疲労度が軽度の場合においても作業の正確性を低下させることが確認された．前述したガイドラインへ適合させると同時に，読みにくさなどが作業効率の低下や疲労へ影響を及ぼさないよう色彩設計を配慮することが求められる．

3.これからの社会における色彩情報の役割

（1）カラーユーザビリティとカラーアクセシビリティ

　ユーザビリティとは，使いやすさの程度を指す概念であり，使用性とも呼ばれる．国際規格ISO 9241-11:1998及び国内規格JIS Z 8521:1999において，「ある製品が，指定された利用者によって，指定された利用の状況下で，指定された目的を達成するために用いられる際の，有効さ，効率及び利用者の満足度の度合い」と定義されている．アクセシビリティとは，対象とするものが使えるか使えないかという視点から，利用者の目的が遂行できるかどうかを指す概念である．JIS Z 8071:2017において，「製品，システム，サービス，環境及び施設を，できるだけ多様な特性及び能力のある人たちが使用可能になること」と定義されている．

　2003年に発行されたJIS Z 8071「高齢者及び障害のある人々のニーズに対応した規格作成配慮指針」は，2017年の改訂により，その対象者が高齢者，障害者から「日常生活に何らかの不便さを感じているより多くの人々」へと拡大された．アクセシビリティに関わる一連の「到達目標」を示し，人々の多様な特性等を記載することによって，各種規格の作成者が，さまざまな使用状況における多くのユーザーのアクセシビリティ・ニーズを特定できるよう支援するための規格となっている．この改訂が示すように，高齢者や障害者のためだけでなく，一時的に不便な状態となった場合も含めたあらゆる人にとってアクセシブル・デザインが必要であるという認識が高まっている．

　幅広い場面において，誰もが使いやすく，目的が達成しやすいように色彩情報

を設計し調節することは，ユーザビリティやアクセシビリティを高める効果的な手段の一つといえる．

(2) 多様な色覚特性

　同じ室温の部屋にいても，暑さや寒さの感じ方は人によって異なる．同じ料理を食べても，その味の感じ方は人によって異なる．同じように，私たちの色の見え方も個人によって異なる．色覚特性とは，色を識別する錐体細胞の状態や働き方の違いによる目の特性の一つである．かつて用いられていた「色盲」や「色弱」の用語は，学校や就職における差別問題が指摘され，眼科用語の改訂により2005年に廃止された．現在，一般的な呼称として，CUD(カラーユニバーサルデザイン機構)により，C型，P型，D型，T型，A型の5タイプが推奨されている．一般的な色覚特性であるC型と比較して，P型は赤色系の見え方が異なり，D型は緑色系の見え方が異なる．このP型とD型を合わせると，日本人男性の5％，欧米男性の8〜10％が該当するといわれる．色覚特性の程度は個人によって異なり，弱度・強度と表す場合もある．また，加齢による錐体の劣化や水晶体の黄変や濁り(加齢性の白内障)によっても，色の見え方は変化する．高齢者は，暗い所で青みの強い色が見えにくいことや，同じ明るさの光でも若年者に比べて暗く見えることが報告されている．色覚特性の違いや色の見え方の変化は，個人差や年齢によって生じるということを誰もが認識し，そのことを踏まえた色彩設計がなされているかを検討することが重要といえる．

　The Paciello Groupが提供している「カラー・コントラスト・アナライザー」は，色のチェックツールである．ウェブコンテンツの二配色のコントラスト比が前節で紹介した国際基準へ適合しているかを判断したり，色覚特性のタイプごとの違いによる色の見え方をシミュレーションしたりすることができる．

おわりに

　人間は，色を知覚できるという素晴らしい能力を持っている．そして，個人，年

齢，環境などの条件によって色の見え方や感じ方は異なる．また，色を表示する機器の性能や特性によっても色の見え方は異なる．今後，情報技術を駆使したコンテンツやサービス及びそれらを利用するための機器は，さらに多様化することが予測される．それにともない，色彩情報を適切に取り扱うための知識と技術に対する重要性は，ますます高まると思われる．色彩の設計や調節によって，ユーザビリティやアクセシビリティを高めるという視点は，あらゆるモノづくりにおいて，これまで以上に求められる観点といえる．私たち一人ひとりが持っている違い，つまり多様性（ダイバーシティ）を相互に認識することで，高度情報化社会における色彩情報が心豊かに暮らせる社会づくりに役立てられることを期待したい．

資料提供
図表1，図表2，図表3，図表4，図表5，図表6，図表7，図表8はすべて，日本色研事業（株）提供によるものです．

参考文献
栃原裕編(2005)『生活環境の快適性』アイ・ケイコーポレーション, pp59-75.
大田登(2005)『色彩工学第2版』東京電機大学出版局.
Zaidi FH, Hull JT, Peirson SN, Wulff K, Aeschbach D, Gooley JJ, Brainard GC, Gregory-Evans K, Rizzo JF 3rd, Czeisler CA, Foster RG, Moseley MJ, Lockley SW,(2007) *Short-wavelength light sensitivity of circadian, pupillary, and visual awareness in humans lacking an outer retina.* Current Biology 17(24), pp.2122-2128.
辻村誠一(2014)『メラノプシン細胞は明るさ知覚に影響する』時間生物学20(2), pp11-19.
坂上ちえ子(2013)『JIS慣用色名の使用実態 -2007年度2012年の本学調査結果から-, 鹿児島県立短期大学地域研究所研究年報 (44)』pp15-30.
Ogden Nicholas Rood,(2010) *Modern Chromatics: With Applications to Art and Industry [1879],* Kessinger Publishing.
The Paciello Group, Colour Contrast Analyser, https://developer.paciellogroup.com/resources/contrastanalyser/(2018年8月23日確認)
日本規格協会(1993)『JIS Z 8721, 色の表示方法－三属性による表示』
日本規格協会(1999)『JIS Z 8521, 人間工学－視覚表示装置を用いるオフィス作業－使用性についての手引』
日本規格協会(2012)『JISハンドブック61色彩, 測色用標準イルミナント及び標準光源Z8720』pp544-561.

日本規格協会(2017)『JIS Z 8071, 規格におけるアクセシビリティ配慮のための指針』

International Organization for Standardization, 1998: ISO 924111-11, *Ergonomic requirements for office work with visual display terminals (VDTs)*.

World Wide Web Consortium, *Web Content Accessibility Guidelines (WCAG) 2.1,* https://www.w3.org/TR/WCAG21/ (2018年8月28日確認)

画像電子学会編(2008)『カラーマネジメント技術 拡張色空間とカラーアピアランス』東京電機大学出版局, pp2-17.

「カラーユニバーサルデザイン機構, 色覚の呼称」http://www2.cudo.jp/wp/?page_id=84 (2018年8月28日確認)

片山徹也・庄山茂子・栃原裕(2016)『異なる色相を背景色とするVDT画面に対するイメージ評価と疲労感, 人間と生活環境 23(2)』pp59-68.

内川惠二(1998)『色覚のメカニズム 色を見る仕組み』朝倉書店, pp10-17.

大井義雄・川崎秀昭(2007)『カラーコーディネーター入門 色彩』日本色研事業.

Phonon, ColorAC Ver. 0.716, http://n-colorspace.cool.coocan.jp/ (2018年8月28日確認)

第 II 部
情報セキュリティ学科

大学で学ぶべきこと
～半世紀の技術変化から考えよう～

情報セキュリティ学科　**松田　健**

　筆者がこの担当部分を執筆したのは2018年である. 現在では, スマートフォンは世代を問わず多くの人が利用している. 手のひらに収まるサイズのスマートフォンさえあれば, SNSを通じて世界中のさまざまな人とコミュニケーションを簡単にとることができる. それだけでなく, スマートフォンがあればインターネットを通じてさまざまなコンテンツにアクセスすることができ, 多くの情報を簡単に得ることもできる.

　このような, 手の平に収まる大きさなの端末で, 人々がコミュニケーションを大衆用のサービスとして使い始めたのは, トランシーバーを除けば, ポケベル(無線呼び出し)が初めてかもしれない. ポケベルは1968年からサービスが開始されている.

　ポケベルとスマートフォンでは, 扱える情報の量に雲泥の差があるが, 他者との

図表1　ポケベルのイメージ図

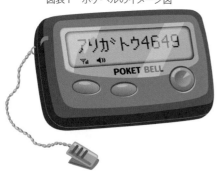

メッセージの交換に利用するという目的でスマートフォンを利用している間は, 使いやすさや操作性という観点以外では, 両者とも同じようなものであると言えるだろう.

　ポケベルが流行していた時代から, 2018年まで50年の年月が経ったが, ポケベルを利用していたユー

図表2　スマートフォンのイメージ図

ザーのどれくらいの人が, スマートフォンやスマートウォッチのような端末が誕生し, これほどたくさんのユーザーがこのような端末を利用するようになると想像できたのだろうか? 50年という期間で振り返ると大きな変化に感じられるが, 数年単位などのもっと短い期間で変化を調べると, また違った印象になることだろう.

　同じ問題を, この2018年に置き換えて考えてみると, 2050年頃にはどうなっているだろうか? このような未来予測は非常に難しいが, 情報理論を学び, 統計学的にデータを整理する力を身につければ, 1960年代から2018年までの大きな変化はどのような技術の進歩によって引き起こされ, そのうちのどの技術が真に新しいものであるか, ということがわかるようになるだろう. もちろん, それ以外にも工業技術などのさまざまなテクノロジーがどのように発展しているかという情報も重要になることは言うまでもない.

　スマートフォンを使ってインターネットでさまざまな情報を調べたり, 他者とコミュニケーションを取ったりする場合は, 電波を利用している. 電波の性質を知らなくても, 確かにスマートフォンは利用することが出来るし, 電波の性質をどんなに知っていても, スマートフォンの操作技術は向上しないだろう. では, この時代に電波について, 今さら勉強する必要はないのだろうか?

　自然界にもともと存在していた,「電波」というものの存在に人類が初めて気づいたのは1888年とされている. ドイツ人のハインリヒ・ルドルフ・ヘルツによって確認された. この電波を用いて, 1920年にアメリカでラジオ放送が開始され, 1953年には日本でもテレビ放送が開始され, 1968年からポケベルのサービスが提供

された.

　スマートフォンももちろん電波を利用しているが, 電波の性質が進化したのではなく, それを利用する技術が進歩した結果, 現在の情報技術が成り立っている.

　もし, 大学で電波に関する専門的な授業を学べたとして, その授業で電波の技術がスマートフォンに応用されていることだけを学ぶだけで十分だろうか.

　どのような技術がどのようなことに応用されているかを知ることも良いかもしれないが, そのような表面的な事実を知るだけでは, 技術を進歩させたり, 現状の技術の壁を乗り越えたりすることはできないだろう.

　他人から話を聞くのではなく, 自ら調べ, 試し, 考えることで, 実現可能な技術とはどういうものであるか, ということがわかるようになる. 大学では, 一見, なんの役に立つのかわからない勉強をするように見えるかもしれない. それが役に立つかどうかということではなく, 学んだことを活かせるかどうかは, 学んだ人次第以外の何物でもないだろう.

　昨今では, 「実学」というキーワードを大学教育でも聞くようになりつつある.

　すぐに役立つ技術や情報は確かに便利であるかもしれない. ずっと役に立つもの, そうでないもの, さまざまな技術や情報が存在する. 「あることで役に立つなら, 他のものに活かすことができるのではないか?」という考え方もある. このような汎用性を見つけたり, 考えたりする能力も大切である.

　繰り返しになるが, 第3者の意見をただ聞くだけでなく, 学び, 調べ, 試し, 考えることで, それとは異なる意見を持てるようになることが期待できる. また, さまざまな経験や自身のスキルアップにより, 昔考えていたことと, 違う景色が見えるようになることもたくさんあることだろう.

　多くの技術は, 物理や化学などの自然現象に基づいて成立している. コンピュータの世界にはそれ以外に, オペレーティングシステムやコンパイラ, アプリケーションのようなソフトウェアの概念も重要である. パソコン本体には電気信号を扱うためのハードウェアが必要であるが, 電気信号の制御にも, ソフトウェアの制御にも数学的な概念は重要になる. もちろん, ただそれらを使っているだけの

間には，数学や物理，化学などの知識は一切必要ないが，ハードウェアやソフトウェアを作る場合には，そのようにも言っていられない場面に出くわすことだろう．

　新しい技術を作ったり，技術の壁を乗り越えたりしなければいけないという場面に直面したときに，自然科学に関する知見の必要性に気づき，そこで先人達の研究成果に感謝することができるのかもしれない．情報化がさらに進めば，このような問題に直面する人が増えてくるのではないかと著者は考えている．

大学の外での学びの場

　ここまでは大学で学ぶ専門知識側の観点から議論を進めてきた．大学ではさまざまな分野の専門知識を学ぶことができるが，実学で求められるような，実践的経験を積むことができる授業は，それほど多くないのが実情かもしれない．

　大学で学ぶ基礎的な知識も確かに重要であるが，それだけでこれからのIT人材を育成することは難しいだろう．昨今では，IT人材不足というキーワードの元で，数多くの人材育成に関するイベントが開催されている．その種類や形態は，勉強会や集合研修，ハッカソンやコンテストなど，さまざまなものが存在している．

　このようなイベントに積極的に参加することで，多くの人に出会い，さまざまな意見を聞き，たくさんの体験を積み，その上で大学の専門的な教育内容を理解することができれば，多くの知見が得られることだろう．

　そうでなくても，インターネットが発達した現代だからこそ，自ら情報収集し，行動することでも，十分に実力をつけていくことができる時代でもあることに気づいているだろうか．今の時代，教える側も教わる側もこの事実をしっかりと認識すべきである．しかしながら，イベントに行けば多くの人と知り合うことができるので，それはそれで貴重な財産となることだろう．

　上述の通り，IT人材育成のイベントにはさまざまな形態が存在する．勉強会や集合研修，コンテストについては，どういうものか想像しやすいだろうが，ハッカソンやアイデアソンという言葉には馴染みがない人もいることだろう．

　ハッカソンは，与えられた一定の時間の中でプログラミングを行い，得られた

成果を発表して競い合う競技形式のイベントである. アイデアソンと呼ばれる, アイデアを競い合うイベントがある. このような競技形式のイベントはコンテストという名称で運営されることもあり, IT系では, プログラミング, デザイン, IoT, データ解析, セキュリティに関する技能や作品に関するコンテストがたくさん開催されている.

「BountyHunter － ITコンテスト, ハッカソン情報」というサイトでは, 数多くのIT関係のコンテストやハッカソンの情報を検索することができる.

[参考URL]

http://bounty-hunter.ml

「BountyHunter － ITコンテスト, ハッカソン情報」のWebページでは, イベントで入賞した時の賞金の情報も見ることができる. 対象年齢が小学生というイベントも存在している. このようなイベントに参加するには, それぞれのイベントで要求されるプログラミングなどのスキルが必要になるだろう. そのようなスキルを身につけるには, 勉強会に参加すると良いかもしれない. 勉強会は集合形式で行われ, 特定のテーマに関する情報共有したり, 新しい技術を参加者同士で勉強しあったりする. 個人ベースで開催されているものもあり, 都市部では頻繁に開催されている. 勉強会の情報は, 例えば「connpass」というサイトで調べることができ, IT勉強会カレンダーが公開されていてい, 毎日多種多様な勉強会が開催されていることがわかる.

[参考URL]

https://connpass.com/calendar/

「connpassのIT勉強会」のWebページにアクセスしてみて欲しい. 平日, 休日を問わず, 多くの勉強会が開催されていることが分かる. 扱われているテーマについては, 現在注目を浴びている分野に関するものが多く, 2018年8月現在では, IoT, python, 機械学習などのテーマが散見される. 勉強会のイベントは有料のものも, 無料のものもある. 現在では, インターネットで検索するだけでもたくさんの有益な情報を得ることができる. 中には不正確な情報があるかもしれな

いが，それは基礎的な勉強をきちんとしておけば自分自身で判断することができる．機械学習のようなものは，今後ますますブラックボックス化されていくものも増えていくかもしれないので，ソフトウェアをインストールしたり，コマンドラインでそれらを利用したりする方法を知ることも大切であるが，やはり基礎的な学力を身につけて，人が作ったものを使うだけでなく，自分でも作れるようになったほうが良い場面もあるのではないかと著者は考える．あくまでも，著者の個人的見解ではあるが．

オンライン学習コンテンツ

　近年では，インターネットを通じてさまざまな情報を入手することができるが，オンラインで学習することを前提としたコンテンツもたくさん配信されている．YouTubeでキーワードを入れるだけでもたくさんコンテンツを見つけることができるが，体系的にコンテンツがまとめられているサイトもたくさん存在している．内容も，生徒・学生向け，社会人向けなどさまざまである．

　例えば，ジッセン（https://jissen.me）では，Webマーケティング関連のコンテンツを学ぶことができる．また，schoo（https://ferret-plus.com/3293）では，生放送で配信される動画を無料で視聴して学習することができる．以前から，courseraなどのオンラインで学習できるシステムは展開されていたが，近年は明らかにコンテンツの幅が広がっている．

集合研修形式のイベント

　合宿形式で行うイベントで，IT（特にセキュリティ）関係では，セキュリティ・キャンプとSecHack365がある．これらのイベントについて簡単に紹介して紹介していくことにする．

セキュリティ・キャンプ

https://www.security-camp.or.jp

毎年8月の中旬に開催されている集合研修で，セキュリティの専門家からIT・セキュリティ技術の新鮮なネタを学ぶことができる．応募は毎年5月に行われ，厳しい選考を経て参加者が選ばれている．セキュリティ・キャンプは2004年から開催されており，それぞれの年度の応募者数と参加者数は図表3に示す通りである．

図表3　セキュリティ・キャンプの応募人数と参加者数

	応募人数	参加者
2004年度	76	30
2005年度	69	30
2006年度	132	36
2007年度	186	35
2008年度	260	46
2009年度	368	61
2010年度	307	59
2011年度	274	60
2012年度	294	40
2013年度	250	41
2014年度	301	42
2015年度	228	50
2016年度	231	51
2017年度	310	82

セキュリティ・キャンプには全国大会の他に，全国各地で開催されるミニキャンプというイベントもある．ミニキャンプの開催期間は1，2，3日間と短めであるが，一部の研修は応募に関係なく参加することができる．

SecHack365

https://sechack365.nict.go.jp

SecHack365は，総務省の研究機関である，国立研究開発法人情報通信研究機構(National Institute of Information and Communication Technology;以下，NICTという)

が主催する，およそ1年間に渡って開催されるロングハッカソンである．このイベントでは「セキュリティイノベーター」というセキュリティに関するものづくりができる人材を育成することを目的としている．

　毎年4月末に募集があり，5月には合格者が発表され，5月末には研修が始まる．参加には年齢制限があるが，25歳以下の人であれば社会人でも参加可能だが，社会人は旅費交通費に関しては自己負担，学生以下であれば旅費交通費の費用は無料で参加することができる．ただし，SecHack365に参加するためにも，選考を通過する必要がある．このイベントは2017年から始まったため，受講決定数は2年分しかないが，その状況は図表4のようになっている．

図表4　SecHack365の応募者数と受講決定数

	応募総数	受講決定数
2017年度	358	47
2018年度	345	50

　SecHack365では，年6回の集合研修が全国各地で開催され，全国各地から応募してくる仲間と一緒に作業を進めるだけでなく，開催場所にある企業と交流したり，その地域で活躍する技術者から有益な情報を学んだりすることもできることが特色であると言える．

　さまざまな地域の方とコミュニケーションをすることで，個人が持つ知識やスキルが役に立つことが意外とたくさんあることは著者も経験しているところなので，このような機会が与えられる可能性のある若い人材が羨ましい限りである．

　SecHack365は年6回の集合研修だけでなく，普段はオンラインで開発や仲間・講師(SecHack365ではトレーナーと呼ばれている)陣とコミュニケーションを取ることができる環境が用意されている．成果物は，3月に東京で開催される成果発表会で発表することになる．2017年度の成果物は，以下のURLから見ることができる．
https://sechack365.nict.go.jp/2017artifact/

2000年以前の人材育成

ここまでで，さまざまな人材育成に関するイベントを紹介してきたが，2018年の現時点ではかなりのイベントが開催されていることが分かっただろう．インターネットで検索すれば，本書で紹介したもの以外のものもたくさん見つけることができるだろう．海外に目を向けて見るのも良いかもしれない．

しかし，なぜこれほど人材育成に関するイベントが開催されているのだろうか？

経済産業省の2018(平成28)年の「IT人材の最新動向と将来推計に関する調査結果」(http://www.meti.go.jp/policy/it_policy/jinzai/27FY/ITjinzai_report_summary.pdf)では，2030年には約59万人のIT人材が不足すると推定されている．

現代では，インターネットの環境だけでなく，多くの人がスマートフォンやタブレットを持っているため，今後ますます，ビッグデータやAI(人工知能)，IoTなどの分野が広がっていくため，ITに関する知識は重要になることは間違いないだろう．

ここまで，2018年現在の人材育成について紹介してきたが，最後に，ポケベルが発売された1960年代はどうだったか，ということを紹介することにする．

現在のスマートフォンほどの情報量でないにしても，1960年代の後半には，離れた場所にいる人同士でもポケベルを通じてコミュニケーションを取ることは可能であった．この頃には，人材育成という言葉はなかったのだろうか？

[文献1]の冒頭部分では，1960年代の人材育成に関する問題が書かれている．それによると，「日本の大学は，高度経済成長を迎えた1960年頃から実用的な人材を輩出できていない」とのことだ．文部科学省による，平成14年中央教育審議会「大学の質の保証にかかる新たなシステムの構築について(答申)」で議論されている大学教育改革は，何も今に始まったことではなく，60年ほど前から「大学での教育は役に立たない」と言われ続けていることになる．

しかしながら，本当に「大学の教育は役に立たない」のだろうか？　確かに，2次方程式の解の公式を覚えたり，鎌倉幕府の成立年が1185年であることを覚えたりするだけでは，役に立たないかもしれない．逆に，これらのことを学んで何の役にも立たないことを証明することもできないだろう．学んだことを活かせるかど

うかは，学んだ本人次第であることを著者は著書の冒頭でも指摘している．ポケベルの発売が開始された1968年から，2018年でちょうど50年が経った．この期間に，世の中がどのように変わり，なぜ現代のように技術が発展したのか，ということを考える時には，この50年の歴史，自然科学や情報科学の知識が必要ではないだろうか？さらに，この先の50年を考えて見るなら，現在の社会動向を知るとともに，これまでの歴史を知ることも必要であると考えられないだろうか．

　人材育成の歴史としては，1960年代の経済産業界による「大学教育の問題」の指摘により，1970年代から1990年代にかけて，日本企業の多くの社員が欧米の大学院に派遣されたそうだ[文献1,2]．1970年以降の人材育成については[文献3]にも同様の指摘があり，日本の国家戦略としてIT人材の育成が重要であるという国家の目標のもとでソフトウェア人材育成について議論されている．

　このようにしてみると，2000年以前の人材育成では働いている世代に対する人材育成が中心であったが，2018年現在に行われている人材育成は，まだ職業に就いていない若い世代に目が向いているものがたくさんあることが分かる．

　また，[文献4]が指摘している通り，近年ではグローバル人材を育成することが急務であると言われているが，それと同時にグローカル人材（視点はグローバルに，ローカルに活動するという意味）を育成することも大学教育の目標になっている．しかし，[文献1,2]が示している通り，これは今に始まった事ではなく，50年前もそうだったようである．

　現在の大学教育では，高校から大学の接続教育の議論も進められているところですが，「何のために学ぶのか？」ということを考えるきっかけを掴むためにも，大学に進学するだけでなく，たくさん開催されている人材育成のイベントや勉強会は役に立つのかもしれない．

　この本の読者が，大学でさまざまな事を学び，学んだ事を活かすことができる人材となることを楽しみにしている．自分で何かを作る前から勉強が役に立たないというのではなく，まずは何か自分で人のために作ってみようとしてみるといいだろう．

「役に立たないものなどない」，中国の古典で有名な老子が「無用の用」という言葉を残している．人のために何か物を作れば，「無用の用」と同じような気持ちを共有することができるだろう．

参考文献

1 鈴木雅久（2018）「日本におけるグローバル人材育成のこれから”，ウェブマガジン『留学交流』2018年1月号Vol.82」
https://www.jasso.go.jp/ryugaku/related/kouryu/2017/__icsFiles/afieldfile/2018/01/05/20180 1suzukimasahisa.pdf

2 中山健（2013）「日本企業の海外研究開発活動と国際産学連携戦略－イギリスとスウェーデンにおけるケース・スタディー」千葉商大論叢, vol.50(2), pp.187-221（2013）

3 伊東暁人「90年代のソフトウェア人材育成”科学研究費補助金・平成14～16年度 基盤研究（B）」(1)「「構造改革」下における地方 企業の経営戦略」（課題番号:14330034, 研究代表者・伊東暁人）成果の一部
https://www.google.com/url?sa=t&rct=j&q=&esrc=s&source=web&cd=1&ved=2ahUKEwjq xaCPgY3dAhWbad4KHSt9CRAQFjAAegQIAhAC&url=https%3A%2F%2Fshizuoka.repo.nii. ac.jp%2Findex.php%3Faction%3Dpages_view_main%26active_action%3Drepository_action_ common_download%26item_id%3D674%26item_no%3D1%26attribute_id%3D31%26file_ no%3D1%26page_id%3D13%26block_id%3D21&usg=AOvVaw2KwKGQWLlAbcwcTX7p4d Le

4 藤山一郎（2012）「日本における人材育成をめぐる産官学関係の変容 ―「国際人」と「グローバル人材」を中心に ―」立命館国際地域研究 第36号 2012年10月
http://r-cube.ritsumei.ac.jp/repo/repository/rcube/4895/as36_fujiyama.pdf

情報科学の基礎とプログラミング

情報セキュリティ学科　山口　文彦

　こんにち我々の生活のいろいろな場面で情報機器が使われている．スマートフォンやタブレット・PCなどを用いて，友人や知人とメッセージをやり取りしたり，世界中のWebページを検索したり，見知らぬ人とゲームで対戦したり，そうしたことが当たり前に行われている．個人がWebページやブログを作り世界に向けて情報を発信することも珍しくない．さらには情報通信のための機器だけでなく，さまざまなモノも情報をやりとりする時代になっている．例えば，外出先からスマートフォンで操作できる空調器や風呂の給湯器，検索したレシピをもとに火加減を調整する電磁調理器といったモノが現れている．

　こうしたことを可能にしている技術が情報技術である．これまでの情報技術を生み出してきた，そしてこれからの情報技術を生み出していくのが，情報科学(Information Science)という学問である．本章では，まず情報科学について述べる．次に情報科学の中で重要な位置を占めるプログラミングについて述べ，章の最後にプログラミングの技量を競うプログラミングコンテストを紹介する．

1.情報科学

　情報科学は文字通り，情報を対象とする科学である．科学とは，誰でも同じ結論となる事実を対象とする学問である．だからこそ，科学が生み出した技術は，誰にでも使うことができる．ものごとにはさまざまな面がある．その中で科学が対

象とするのは「誰でも同じ結論となる面」だけである. そのような面だけを取り出すことから, 科学の分野が始まる.

(1) 情報と科学

　ものごとのある面だけを取り出すことを抽象化という. 抽象化はものごとをとらえるときのやり方であって, 普段から人間が行っている思考能力の一つでもある. なんでもないことにわざわざ名前をつけただけとも言えるが, そうやって意識することで, 意図的に使えるようになるのである. さて, 抽象化すると, ものごとは抽象的になる. 抽象的と言うと, 何か曖昧なもの, よく分からないもの, という印象を受けるかも知れないが, それは間違った印象である.

　抽象とは, 象を抜き出すという語であって, 注目したい面だけを取り出すことをいう. 一面的なものの見かたと言ってもよい. 抽象的なものがよく分からないと思われがちなのは, どこにどう注目したのかが分からないことが多いからだろう. ものごとのどんな面に注目したのかがはっきりしていれば, 抽象化したものの方が, 余計な詳細が含まれないので, 明解で分かりやすいはずである. それどころか, 明解過ぎて極論と思えることもあるかも知れない. 極論に見えるのは, 他の見かたをしたときには重要な面をあえて無視することもあるからで, 極論そのものは明解なのである. ものごとを突きつめて考えるときには極論も含めて考えることが必要だと思う. 一面的な見かたをすると深く理解することができるのである. 多面的な見かたをするというのは一面的な見かたをしないことではない. 一面的な見かたを極論と決めつけて排除するのではなく, その抽象化があえて無視した別の面があることを意識した上で, さまざまな一面的な見かたをすることが, 多面的で深い理解につながるのである.

　ここで科学に向けての抽象化を, 情報量という概念を例にして説明してみよう. ある情報の重要さは人によって異なると考えるのが自然かも知れない. 例えば, 「長崎市内のバスが遅延している」という情報があるとする. この情報を受け取った人が, そのバスを使おうとしている人であれば, 別の交通手段を考えるか

も知れない。その人にとっては，行動を変える程度に重要な情報であると言える。しかし，そのバスを利用しない人，長崎に住んでいない人にとっては，バスの遅延という情報は重要でないに違いない。こう考えてしまうと，情報の重要さというのは，人によって違うことになる。これでは科学の対象にならない。

　しかし，それぞれの情報が持つ影響の大きさ(のようなもの)を測る情報量という考え方がある。情報量は，その情報で伝えられるものごとが起こる確率や，そのものごとに影響される行動の選択肢の組み合わせの数を使って計算される。よく起こることが起こるという情報や，ほとんど起きないことが起きないという情報の情報量は小さく，逆にほとんど起きないことが起こるという情報や，よく起きることが起きないという情報の情報量は大きくなるように定義されている。先ほどのバスの例で言うと，もしこのバスがよく遅延するのであれば「遅延している」という情報には余り情報量がなく，逆に普段は遅延しないのであれば「遅延している」という情報の情報量は大きいのである。このように考えると，情報の受け取り手が長崎在住のバス利用者かどうかに関わらず，普段このバスがどれくらいの頻度で遅延するかという事実だけに基づいて情報量を決めることができる。つまり，人によって異ならない値として定義できるのである。

　このバスの例では，情報の受け取り手がどういう人か分からなかったので「バスの遅延」というものごとが起こる頻度に基づいて情報量を考えたが，情報の受け取り手の行動まできちんと定義してしまえば，そのような受け取り手にとって情報がどれくらい重要か，という問題の全体は，誰でも同じ結論となる問題になるだろう。このように，人によって異なる部分が無いように考えていくことで，情報の持つ量という概念が科学の対象となるのである。

　さて，情報には表現され伝達されるという性質がある。伝達するためには，伝達の方法に適した表現をしなければならないとも言える。人は言葉を使ってものごとを表現するが，実は言葉の意味というのは，人によってとらえ方が異なる。例えば「りんご」という言葉で何を思い浮かべるだろうか?…読者が今思い浮かべた「りんご」は，樹だろうか，実だろうか?種類は紅玉だろうか，陸奥だろうか，ふ

じだろうか?たいていの人は「りんご」とだけ聞いて種類まで特定できるような何かを思い浮かべることはないだろう. とは言っても,「りんご」から極端に逸脱したものを思い浮かべた人もいないだろう. 人が普段使っている言葉の意味とは, ある範囲のものを曖昧に表していて, たいていの場合それで充分に意図が伝わる. 常識や文脈などから判断できるからである. しかし言葉によるコミュニケーションは誤解されることもある.

しかし, 科学の対象とするには「たいていの場合うまくいく」だけでは不十分である. 人によってとらえ方が微妙とはいえ異なるのだから, 人が思い浮かべる意味まで考えてしまうと, 情報の表現は科学の対象にはならない. では, 意味以外に情報の表現が持っている性質にはどんな面があるだろうか. 1つは区別がつくことである.「いいえ」なのか「はい」なのか,「りんご」なのか「みかん」なのか, その情報の意味は考えないとしても, どちらであるか, どれであるかが区別でき, その区別が伝達できるようにするのが, 表現の役割である.

もっとも単純な区別は, 2つのうちのどちらであるか, という区別であろう. そこで, 2つのうちの一方であることが表現できる情報の量をbitと呼んで情報量の単位にしている. 区別さえできれば良いと考えると,「いいえ」と「はい」の代わりに, 0と1を使っても良いし, offとon, 黒と白を使ってもよい. いろいろな表現の方法が考えられる. 何を使って表現するかは, どうやって伝達するかによって決めればよい.

なお, いったん無視した表現の意味については, 伝達経路の両端(外側)であらかじめ合意しておく. 例えば0なら「いいえ」, 1なら「はい」を意味すると決めておけば「はい」か「いいえ」を伝えられるし, 0なら「りんご」, 1なら「みかん」と決めておけば, この2種類の果物のうちのどちらであるかを伝えられる. 伝達経路の内側では, 0と1をきちんと区別して伝えられさえすればよいので, 内側では0が意味するものや1が意味するものを気にする必要がなくなるというわけである.「はい」や「いいえ」あるいは「りんご」や「みかん」という言葉の意味や両端で行った合意の曖昧さは, 伝達経路の両端のさらに外側で気にするべきことで

あって，情報を表現し伝達することからは切り離すことができる．こうして人によって異なる意味の曖昧さを排除して，情報の表現や伝達を科学の対象にすることができるのである．

　区別の他に，表現には「並べることができる」という性質もある．並べることによって多くの区別が表現できる．例えば0または1を使って2通りのものの区別ができるが，これを2つ並べると，00, 01, 10, 11の4通りの区別ができるようになる．もちろんA，B，C，Dなどの4文字を使って区別しても同じように4通りの区別ができるのだが，そのためには伝達手段が4通りの区別に対応している必要がある．実際のところ，表現をいくらでも並べられるのであれば，2通りの区別だけできれば充分である．0または1をn個並べれば，2^n通りの区別ができるのだから．2^n通りの区別ができる情報の量を，n bitと呼ぶ．

(2) 情報と計算

　先ほど区別さえできればいろいろな表現方法が考えられると書いたが，表現方法を切り替えることができるのも表現の性質といえるだろう．人間にとって分かりやすい表現・伝達に便利な表現・情報処理のための機械を作りやすい表現など，いろいろな表現がある．人間にとっては0と1だけの並びは分かりにくいかもしれないが，電気を使った機械を作るときにoffとonだけ考えればよいのは簡単である．では，人間が普段目にするさまざまなモノをどうやって0と1の並びだけで表現したらよいだろうか．0または1をn個並べれば，n桁までの二進数を表すことができる．つまり上限があるにせよ自然数を表すことができるのである．すると，番号が付けられるものは，すべて0と1の並びで表すことができる．最大で何番までの番号が必要なのかが分かれば，表現するのに必要なbit数が分かる．何が何番なのかは，あらかじめ決めておけばよい．伝達経路の両端で行う合意と同じである．

　現在の情報技術においては，色にも文字にも番号がついている．単純な例を挙げると，Aという文字には65番という番号がついている．これを8桁の二進数

で表せば01000001となる．この並びがAという文字であることは，人間には分かりにくいので，アルファベットの一文字に見える画像を用意することも考えてみよう．ここでは，画像を白と黒の小さな正方形を縦横に8×5個並べたものとして，白を0，黒を1と表すことにする．すると，アルファベットに見える画像は，40個の0と1を並べたもので表せる（図表1）．ネットワークなどの伝達経路や計算機の内部で文字を判別するようなときには番号を使い，人間が読むために画面に表示しようとするときには画像で表す．出力するときには番号から画像へ変換することになるが，どちらも0と1の並びで表現されている．

図表1　文字や画像の0と1の並びによる表現

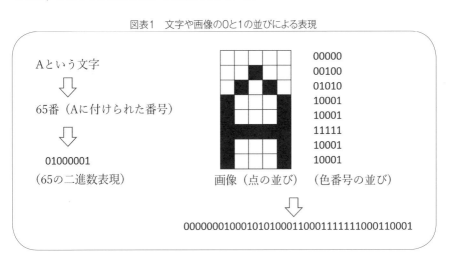

いろいろなモノが0と1の並びで表されているとして，その意味はとりあえず考えないことにすると，情報処理とは，ある0と1の並びが与えられたときに別の0と1の並びに変換することだと言える（単純明快な極論である）．この変換に計算機（コンピュータ）が使われている．

　さて，計算機の話をする前に，計算について述べておこう．加減乗除の四則演算はもちろん計算である．二次方程式の解を求めることも計算だし，sinやcosなどの三角関数やΣを使った和も計算である．読者が未だ習っていない計算もあるだろうし，それどころか人類が未だ発見していない計算もあるかも知れな

い．そうしたものを全部含めた「計算」とは何だと言えばよいだろうか？

　実は「計算とは何か」というのは難しい問いなのだが，ここでは「誰がやっても同じ結果が得られる手順」を計算と呼ぶことにしよう．もちろん，途中で間違えないことを前提にしている．誰がやっても同じ結果が得られるためには，その手順を厳密に指示する必要がある．厳密に指示する方法の一つが数式を使うことである．

　計算は誰がやっても結果が同じであると定義したから，科学は計算を道具として使うことができる．物理や化学でいろいろな数式を使っても，誰がやっても同じ結論になるという科学が守るべき規範は失われないというわけである．逆に，物理や化学の実験も適当な精度で行うのであれば同じ結果になる手順であると言えるから，計算の一種である．

　ここで，計算の対象にできないものの例を1つ挙げておこう．計算というと数を対象にしそうなものだが，実数を扱う指示は計算の指示とは言えない，という直感に反する性質がある．計算にとって重要なのは，誰でも同じ結果になることと，結果が得られる手順であることの2つである．例えば実数を扱う指示として「2の平方根を小数点数表示せよ」という問題を考えてみよう．平方根の小数点数表示は開平計算を使って一桁ずつ求めていくことができるが，2の平方根は無理数なので，小数点数表示しようとすると無限の桁を必要とする．もし人間がこの問題に答えようとしたら，適当な桁まで書いて，あとは点々を書いておくかも知れない．この場合，何桁まで数字を書くかは人によって違う可能性があるので，これは計算の指示とは言えない．もし本当に無限桁の数字を書こうとした場合には，いつまで経っても作業が終わらない．つまり結果が得られないので，やはり計算の指示であるとは言えないのである．そこで指示を変えて，例えば「2の平方根を，小数点以下第6位を四捨五入して第5位まで表示せよ」とすると，今度は計算間違いをしなければ誰でも1.41421という結果を得るから，計算の指示であると言える．しかし，小数点以下の桁数が決まっていれば有理数であるから，実数(の全体)を扱っているとは言えなくなる．小数点数表示をあきらめて，平方根や円周率

を表す特別な記号を使うことにすると，有限な表現で無理数の一部を表せるから，いつまで経っても結果が得られないという課題は解決する．しかし，そのような記号と有理数を組み合わせて表現できる数の種類は，やはり有理数と同じくらいしか存在しない．それは代数的な数と呼ばれていて，実数全体よりもずっと少ないのである．

2の平方根を桁数指定なしに表示せよという指示は厳密さに欠けていたと言える．厳密に定義されていない問題は，人によって異なるとらえ方をする可能性があるので，ここでいう計算ではないのである．しかし，厳密に定義された問題であっても手順が存在しなければ，やはり計算することはできない．計算とは何かを追及した研究の歴史や，計算できない問題について簡単に解説した本として[1]を紹介しておく．

図表2　チューリング機械

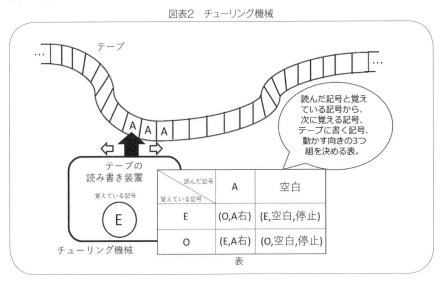

厳密に手順を指示する方法は数式に限らない．指示を実行するやり方がきちんと決まっていれば，誰でも同じ結果が得られるだろう．こういう計算という概念を考えるときの道具として，チューリング機械というものがある．チューリング機械はテープと表を持っていて，記号を1つだけ覚えておける機械である（図表2）．表

には，テープから読み込んだ記号と現在覚えている記号から，次に覚える記号とテープに書き込む記号，テープの動かし方の3つが得られるように書く．この表が手順を表現していて，テープの中身と最初に覚えておく記号を与えると，手順通りに動くという機械である．単純な機械なのだが，このチューリング機械によって，すべての計算（人類が未だ見たことのない計算も含めて全部）を表現できる，というのがチャーチ・チューリングの提唱と呼ばれる命題である．提唱であって定理でないのは証明されていないからだが，この提唱が発表されてから100年近く経過し，その間に情報科学が大きく発展したにも関わらず，反例は見つかっていない．現在では，ほとんどすべての計算機科学者が，この提唱が正しいと信じている．

　チューリング機械は計算という概念を考えるための思考実験であって現実的な計算機ではない．しかし，これを考えることで得られた計算というものを実行する仕組みが，現在の計算機につながっている．

（3）仕組みを考えよう

　科学からは技術が生まれ，技術からは道具，および道具の組み合わせや運用で形作られるシステム，さらには生活を支える環境が作り出される．情報技術に限らず，技術から作り出されたシステムや環境には，何をどのように組み合わせて，もしくは使ってできているのか，という仕組みがある．

　ただ使うだけであれば，かならずしも仕組みを理解する必要はない．しかし，システムの中身を扱う技術者，人工の環境を整備する技術者，そして新しいシステムを作ろうとする研究者は，仕組みを理解しなければならない．よく分からないモノは作れないのだから当然である．

　読者は普段からスマートフォンやPC，タブレットなどの情報機器を使っているだろう．しかし，その仕組みをどれくらい知っているだろうか．実は，システムや人工環境には仕組みを隠す方向に発展するという性質がある．それは，いろいろな勉強をして仕組みを知ってからでないと使えないモノは，使いづらく普及しないからである．例えば発電所や送電設備の仕組みを知らなくてもコンセントにつなげれ

ば電気が使えるし，エンジンの仕組みを知らなくても，原動機付自転車や自動車を運転できる．情報技術も仕組みを隠す方向に発展している．しかし，急速に普及したせいか，仕組みのどの部分を隠し，どの部分を隠さない方がよいかが，まだ，あやふやなのではないだろうか．情報セキュリティ事案の中には，少し仕組みを知っていれば危険だと分かるような使い方をしたことが原因となったケースが少なくないように思う．

　サービスや技術を提供する側が，一般の利用者にはわざわざ分かるようにしていない仕組みを，少し想像してみるとよい．想像といっても妄想のたぐいではなく，そのサービスや技術に何が必要なのか，どんな情報やどんな技術が必要で，それらがどう組み合わされているのかを論理的に考えてみてほしい．たとえば，スマートフォンのゲームを，使うだけの利用者ならばただ楽しめばよい．しかし，ゲームを作ろうとする者は，スマートフォンにはどんな機能があって，ゲームはそれらをどう使っているのか，ゲームの世界を表現するにはどんな情報が必要で，それらはどんなふうに表現され，お互いに関連づいているのか，どんな情報がサーバと端末の間でやり取りされているのか，そういうことを把握する必要がある．もし読者が，将来情報技術に携わろうと思っているのなら，身近な情報機器の仕組みを想像してみるとよい．正しいかどうかよりも，自分で考えることが重要であるから，安易に検索して調べるのではなく，まずは自分で想像してみることをお勧めする．

　現在の情報機器の多くは，その中でプログラムが動いている．プログラムを作るには，そのプログラムが表現するモノの仕組みを知らなければならないのである．

2.プログラミング

　プログラミングとは，文字通りに言えば「プログラムを書くこと」を指す言葉だが，単にコンピュータに向かってキーボードを叩くことだけを言うのではない．プログラムを書くためには，そのプログラムで表現したいモノや世界を細部にわたるまで理解し，どんな部品でできているかを考え，適切な計算手順を組み合せて，もし

くは編み出して，プログラミング言語という言葉を使って正確に表現する必要がある．

　筆者はプログラムを「書く」という表現を好んで使うが，プログラミングはモノづくりの一種でもある．プログラミングによってプログラムが作られる．よく分からないモノは作れないのだから，まずは作りたいモノをきちんと理解する必要がある．ここで言う「理解」は，手順を厳密に定義できる程度に分かっていればよい．厳密に定義された手順であれば計算であり，どんな計算でも計算機で表現できるはずである．プログラムを書くための言語であるプログラミング言語は，どんな計算手順でも表現可能なようにできている．デジタル計算機は，その最も基本的な部分では0と1を扱う動作をしているが，プログラミング言語は，もう少し人間に分かりやすい表現で書けるようにできているので，何もかもを0と1で表現することまで考える必要は，とりあえずない．

（1）プログラムとは

　プログラムとは計算の手順を書いたもので，これを書くにはプログラミング言語を使う．計算機はプログラムを読み取って，そこに書かれてある通りに動く．プログラムをどう書いたらどう動くのかはきちんと決まっていて，人が使う言葉の意味のような曖昧さはない．他の人が書いたプログラムを動かして同じ動作をさせることができるのは，プログラムが計算の記述だからである．

　プログラムと似た言葉にコードという言葉がある．一般的に合意された明確な区別はないようだが，筆者は，目的の計算を行う完成された手順の記述をプログラムと呼び，プログラムの一部や断片をコードと呼んでいる．同様に，プログラミングというと全体の仕組みを考えてプログラムを書くことを言い，コーディングというと一部分に着目して考え，キーボードを叩いてコードを入力することを言っている．

　このようにプログラムとコードという言葉を使い分けたくなるくらい，プログラムの一部や断片を考えることは重要なのである．プログラムはいくつかの部品に分けて書かれることが多い．特に大きなプログラムほど，小さな部品を組み合わせ

て作られる. この部品の一つ一つは, 何かの機能を持った計算手順である.

　プログラミング言語にはプログラムの部品を定義する書き方が用意されている. この部品のことを, 関数と呼ぶことがある(呼び方はプログラミング言語によって違うが, メソッドとか, 古い呼び方だとサブルーチンなどとも呼ばれる). 日本語の関数という呼び方が悪いとは思わないが, 関数も機能も英語では function である. 全体から見れば一部に過ぎないが, 何かまとまった仕事をするものを, その部分だけ切り分けて記述すると思えばよい. プログラムは, このような部品(機能)の定義を並べたものと思って良い.

　プログラミング言語は, できるだけ簡単にプログラムが書けるように工夫されている. その工夫の一つとして, さまざまな便利な機能があらかじめ用意されている. 例えばスマートフォンのアプリ(プログラム)を作るときには, 利用者が画面にタッチしたことを検知する機能や, データをスマートフォンのメモリに記憶させる機能, ネットワークを経由して他の計算機(サーバ)に接続する機能などを使う. もちろん, こうした機能を自力で開発することも不可能ではないが, それには大変な労力を要する. スマートフォンやプログラミング言語を開発している人たちがそうした機能を他のプログラマのために提供しているのである.

(2) プログラミングとは

　プログラミングは, 作りたいものをきちんと理解し把握することから始まる. プログラムで記述されるのは計算の手順であり, 計算の対象となるデータ(表現された情報)である. それがどんな機能の組み合わせでできるかを考え, また自分で書かねばならない機能については, その機能の仕組みを考え出す必要がある. 計算手順にしても情報にしても機能にしても実体がない. 機能などという実体のないものの部品という考え方がとっつきにくい点かも知れない. プログラミングする際のものごとを把握する方法の一つに, オブジェクト指向という考え方がある. これはすべてをモノとしてとらえるという考え方が中心になっている. その方が部品への分解を考えやすいという思想である.

現実にあるものと同じものをコンピュータの上でプログラムとして表現するというのは，よく行われることでもあり，プログラミングを少し学んだ者にとっては分かりやすいかも知れない．例えばリバーシというボードゲームのゲーム盤をコンピュータの上で表現することを考えてみよう．現実のボードゲームでは，人間がコマを置いたりひっくり返したりするのだが，コンピュータの上では，マウスをクリックしたり画面をタッチしたりしてコマを置くことにする．コマを置くことができるマスや，置いたときにひっくり返るコマはゲームのルールで決まっているから，コマをあるマスに置けるかどうかの判定や，コマをひっくり返すことはプログラムが自動的に行うことにしよう．ゲームが終了したことの判定や，終了時の勝敗判定も自動的に行いたい．ここに書いたことがすべて，ゲーム盤プログラムの部品であり，機能である．

　こうした機能を計算手順として書くためには，ゲームの局面を表現する情報（データ）が必要である．前節で，番号が付けられるものや，その並びであれば表現できるという話をしたように，ゲームの局面を表現するデータを，番号の並びとして設計することができる．盤面の一マスには，コマが置かれていない状態，白のコマが置かれている状態，黒のコマが置かれている状態の3通りがあるから，これに0，1，2と番号を付け，その番号が8×8の64個並んでいるデータを考えるといった方法が考えられる．現実の盤面に対する操作や判定は，それに対応してデータを書き換えたり調べたりする計算手順をコードとして書くのである．プログラミングする際には，データとしての表現を設計し，そのデータに対する計算手順を考え，またデータを人間が解釈できるように表示する手順を考える，ということを行うのである（図表3）．

　さて，ゲーム盤を表現するだけでなく，コンピュータが手を打つことまでしようとすると，もう少し考えなければならない．もちろん，よく分からないモノは作れないのだから，ゲームをプレイするプログラムを作るには，どうやったら次の1手を見つけられるかについて，よく理解しなければならない．人間は直感で良い手を見つけることがあるが，直感とは何かについては厳密な手順が定義できるほどには分

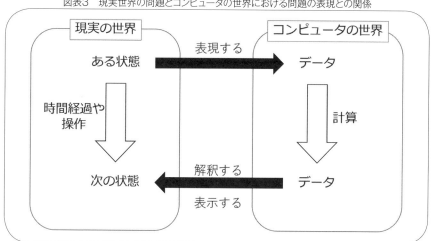

図表3 現実世界の問題とコンピュータの世界における問題の表現との関係

かっていないから，人間の直感をそのままプログラムにすることはできない．しかし，リバーシのようなプログラムでは，1手先・2手先・3手先がどうなるかを先読みすることができる．この先読みは，その局面でどんな手が可能かを調べることと，ある手を打ったときに次はどんな局面になるかを求めることでできる．このようなゲームのための計算手順としてすでに知られているものもある．そういう既知の手順を使ったり，見つけたりすることも，プログラミングの一部である．

(3) プログラミングを学ぶ

　プログラムを書くにはプログラミング言語を使うのだから，プログラミングを学ぶには，何か一つプログラミング言語を決めて，その書き方を学ぶことが必要となる．語学を学ぶときに，一つ言語を(例えば英語と)決めて，その文法や単語を学ぶのと同じである．しかし，それだけではなく，作ろうとするプログラムの仕組みを考え，プログラムで表現できるように機能や部品に分割していく考え方を身につけることも必要である．また，計算手順の中にはよく知られたものがいくつもある．計算手順のことをアルゴリズムと呼ぶが，アルゴリズムはプログラミング言語には依存しない，手順の考え方である．プログラミング言語では0と1だけでなく，いろい

ろなデータの表現方法があり，データの表現そのものを定義することもできる．作りたいプログラムに応じてデータの構造を設計することも必要なので，よく知られたデータ構造についても学ぶことが必要である．大学の授業で学ぶ流れとしては，こんな感じになる．

とは言え，いろいろ勉強してからでないとプログラミングができない，というものでもない．他人が書いたプログラムを読み，実行し，少し改造してみる，という勉強の方法もある．いきなり読めというのは難しく感じるかも知れないが，簡単なプログラムを読むのに必要な知識はそれほど多くない．適当な入門書をナナメ読みするくらいの勉強でも，簡単なプログラムを読むことはできるようになるだろう．実際に動くプログラムを自分で改造し，書いてみることの方が楽しくプログラミングが身につくのではないだろうか．現在では，Webで検索すれば，小さなプログラム例がたくさん見つかる．もちろん検索で出てきたコードが初心者向けとも限らないし，短くても簡単とは限らないのだが，独学で学ぶのに必要な情報は充分以上にあふれている．まずはプログラミング言語を選ぶことが必要だが，もし周囲に気軽に相談できる人がいるなら，その人のおすすめに従ってみてはどうだろうか．もしそういう人に心当たりがないなら，（プログラミング言語にも流行があるので書籍で紹介するのは難しいが）今の高校生が学ぶにはPythonが良いかも知れない．

他人のプログラムを改造するだけでなく，小さなプログラムを全部自力で書ける程度になったら，アルゴリズムやデータ構造の勉強をするとさらに世界が広がるだろう．

ところで，よくプログラミングに上達するにはどうしたらよいか，と尋ねられることがある．その問には，毎日プログラムを書くことだと答えている．もちろん好きでなければ続けられるものではない．プログラミングを経験してみて，もし少しでも楽しいと思えたのなら，プログラミングを好きになって欲しいと思う．なお，プログラミングを経験する機会は自分で作ることができる．やってみれば良いのである．

さて，プログラミングを学んだとしよう．すると，もちろんプログラムが書けるようになり，自分で作りたいプログラムが作れるようになる．ゲームを作って友達と遊

んでもよいだろう．しかしプログラミングを学ぶことには，それ以外のさまざまな勉強を加速させる効果もある．

　何かを勉強したとき，それを理解した，ということをどのように確認するだろうか？　もちろん演習問題があればそれが解ける，というのは理解したことの基準になる．プログラミングを学ぶと，ここに加えて，プログラムが書ける程度に理解する，という理解の程度の基準が得られるのである．学んだものごとに関連したプログラムを書く，という勉強法である．書いたプログラムが正しいかどうかは，プログラムを実行してみれば分かる．いろいろなデータを入れて何度も実行してみるのである．もしその実行が予想と違う動きをしたとしたら，それはプログラムが間違っているのかも知れないので，まずその間違いを正す努力をしよう．間違いを正そうとする過程で，対象の，とくにプログラムが予想に反する動作をした部分について，深く考察することになる．もちろんプログラムが間違っていたなら，それを直せばよいが，もしかしたら，勉強の対象となったものへの理解が足りなかったことが分かるかもしれない．それが分かったなら，正しく理解できたことになるわけだ．そしてもし，対象の理解もプログラムも正しそうで，それでもなおプログラムが予想に反する動作をするのなら，それは勉強対象のプログラムが書ける程度の理解では分からなかった性質が現れたものだろう．そういう性質を発見できたことは，より深い理解をしたことになる．こういう勉強法があるので，関連するプログラムを書きやすい分野(情報技術に限らない)では，プログラミングができるかどうかで理解の度合いに差がついてしまうのである．

3.プログラミングコンテスト

　他のモノづくりと同じように，プログラミングを趣味として楽しむ人たちがいる．プログラムを書いて何か新しいモノ(ソフトウェア)を作ること，作ったモノを動かしてみること，そして作ったモノを改造すること，いずれもプログラミングの楽しみ方である．そしてまた他のモノづくりと同じように，作ることそのものだけでなく，モノづくりの技量を競うという楽しみ方もある．

(1) 競技プログラミング

競技プログラミングとは，プログラミングを競技として楽しむことをいう．競技プログラミングの場として，学会が主催するものや企業が主催するものなど多くのプログラミングコンテストが開催されている．ほとんどのコンテストでは，プログラムによって解くべき課題が複数提示され，競技者は制限時間内にどれだけ正しいプログラムを書けるかを競う．プログラムを完成させるまでの時間が評価されることもあるし，プログラムの性能が評価の対象となるコンテストもある．例えば，高校生を対象とするコンテストには，パソコン甲子園や情報オリンピックなどがある．

コンテストというと敷居が高いと感じる生徒・学生もいるようだが，例えば企業で主催しているコンテストの中には，年齢制限がなく，登録も参加もネットワーク経由になっていて参加すること自体は簡単なものもある．もちろんプログラミングの技量が高くなければ上位を狙うことはできないが，どんな種目の競技であっても最初から上位が狙えるものではない．少しでも競技プログラミングに興味を持ったのなら気軽に参加するのがよいだろう．継続的に参加して，自分のランキングが上がったり下がったりするごとに一喜一憂し，その中で自分の技量が上がっていくことを実感するのが醍醐味なのではないかと思う．

ほとんどのプログラミングコンテストで過去問が公開されているので，興味を持ったのであれば，過去問のWebページを探してみると良い．問題の中には簡単な問題もあれば難しい問題もある．問題を作る側からすれば，制限時間内に全問正解する参加者が現れることは避けたい一方で，できるだけ多くの参加者に一問以上正解して欲しいと思うものである．何段階かの予選やレベル分けされているコンテストも多い．その中で最初の予選の最も易しい問題が解けるなら，競技プログラマになれると思ってよい．それがスタートである．

簡単な問題が解けるようになったら，少しずつ難しい問題に挑戦していこう．問題の難しさにはいろいろな傾向がある．性能のよいアルゴリズムを使わないと正解にならない問題では，計算の手間の少ない方法を編み出す必要がある．そういう問題の中には，特定のアルゴリズムを知ってさえいれば簡単に解け

る問題もある. 計算にかかる手間(時間)だけでなく, 誤差の少ない計算をしなければならない問題もある. 幾何の問題が出題されることもある. 幾何の問題では, 図形を扱う力が問われるのはもちろん, 図形として問題をとらえると分かりやすい場合でも, 計算手順を考えるときにはさまざまな例外に対処しならないことも多い. データの表現に工夫を必要とするような問題もある. 他にも, やり方は明らかなものの長いプログラムを書かなければならず, 単に面倒くさい問題などというものも出題されることがある.

　競技プログラミングの問題を解く力をつけるには, よく知られたアルゴリズムやデータ構造を勉強し, それをプログラムとして書けるように訓練することが必要である. こういった内容の解説書として[2]を紹介しておく.

(2) ICPC

　国際大学対抗プログラミングコンテスト(International Collegiate Programming Contest, ICPC)は, 1970年に米国のベイラー大学で始まったコンテストを元にしており, プログラミングコンテストの中でも長い歴史を持っている[3]. このコンテストは世界中の大学生が対象であり, 大きな特徴は3人1組のチーム戦であって, コンピュータは1チームに1台と制限されていることである. コンピュータに向かってコーディングできるのは一度に1人だけとなるから, 他のメンバーは別の問題を考

2018年ICPC世界大会(北京)の様子(http://icpcnews.com/ より転載)

えたり, コーディングを一緒に眺めるペアプログラミングをしたりする. 問題の傾向ごとに, メンバーの中の得意不得意もあるだろう. チームは正解した問題数と正解プログラムを書くまでの時間によって評価される. プログラムを速く書くことが求められるので, チーム内での分担などの戦略が評価に大きく影響する. 仲間と問題の内容を議論する力, 仲間を信じて任せる力, そのために仲間の力量を見積もる力が要求される点が, 他のコンテストとは大きく違うと感じられる.

大学対抗とあるように, 毎年行われる世界大会には各大学1チームずつしか参加できない. (前ページ写真)は, 2018年に北京で行われた世界大会の会場の様子である. 世界大会までに国や地域で行われるいくつかの予選会を経て選抜されていくのである. 日本では最初にネットワーク経由で行われる国内予選に参加することになる.

日本の国内予選参加者数は年々増加しており, 2019年は495チームの登録があった. 参加者の増加に伴って, 全体の技量も上がっていると感じている.

読者の中からもプログラミングを楽しむ人たちが増えていけば, 幸いである.

参考文献
1 高岡詠子(2014)「チューリングの計算理論入門」講談社.
2 秋葉拓哉・岩田陽一・北川宜稔(2012)「プログラミングコンテストチャレンジブック第2版」マイナビ.
3 筧捷彦編(2009)「目指せ!プログラミング世界一」近代科学社.

個人の情報とコンテンツを守るしくみ

情報セキュリティ学科　**松崎　なつめ**

　本章では，個人の情報や，映画や音楽の作品(ここではコンテンツと呼ぶ)のように価値のあるデータのセキュリティについて述べる．皆さんは，スマートフォンのツイッターやLINEなどを用いて，気軽に，自分の写真や電話番号などの個人の情報を公開したり，人の情報を別の人に教えたりしているかもしない．また，放送やネットから取得したコンテンツを，不正にコピーしたりアップロードしたりするかもしれない．誰でも手軽にインターネットに接続できるようになり，身の周りに多くの個人の情報やコンテンツがある今日，便利である反面，思わぬトラブルに巻き込まれる危険性が高くなっている．被害者にならないため，また，知らないうちに加害者にならないため，これらデータの取り扱いのルールを，正しく理解することが必要である．1節は著作権保護について述べ，2節は個人情報保護とプライバシ保護について述べる．なお，各節とも数例の不正の事例について述べているが，その説明の目的は不正の事実を知ることで，各データの保護の必要性を確認するためである．

1. 著作権保護

本節では，著作権保護について説明する．

（1）著作物とは

日本の著作権法の定義によると，著作物とは「思想または感情を創作的に表現したものであって，文芸，学術，美術または音楽の範囲に属するもの」(2条1項1号)とされる．一般的には，映画や音楽，書物などのコンテンツのことを指すことが多いが，最近はソフトウェアやアプリケーションなども対象になる．これらコンテンツは，コンテンツを作成した作者の意図に従って，取り扱われなければならない．作者が有するこの権利を著作権といい，作者のことを著作権者という．

（2）著作権保護とは

著作権者は，調査や創作活動など，多大な労力を費やしてコンテンツを生み出している．そして，その報酬として，コンテンツの利用や販売に伴う収入の一部を，著作権料として受け取り生活している．また，得た著作権料を，新たなコンテンツを生み出す活動資金とする場合もある．著作権保護は，著作権者のコンテンツ作成，販売，収益，そして次のコンテンツ作成といった創作の循環を守り，新しい文化を創出するために必要な仕組みである．

著作権保護の仕組みは，出版物などを対象として古来よりあったが，1990年代初頭のコンテンツのディジタル化をきっかけに，さらに身近になった．ディジタル化とは，それまで，アナログ回路で扱ってきたコンテンツの情報を，0(ゼロ)と1(イチ)で表現し扱うことであり，このことによりコンテンツをコンピュータで扱いやすくなり，創作する際の品質と効率が上がった．また，コンテンツ利用者にとっても，品質の高いコンテンツを利用できるようになった．その一方で，コンテンツ利用者側で，簡単に品質劣化のないコピーができるようになった．ディジタル

化以前であれば，例えばビデオテープをダビングすると，明らかに画質や音質が劣化した．またコピーする時間もかかり，不正コピーをして再販するなどの不正はあったとしても小規模であった．これが，ディジタル化により，著作権者の意図にそぐわない，コンテンツの不正利用や大量の不正コピーが容易になったといえる．1996年DVDが登場し，2000年にディジタル放送が始まった．2011年の調査[1]では，映画の著作権侵害により，日本経済全体が受けた損害は564億円であり，映画産業会だけでも年間235億円の損失が発生したと算出されている．

(3) DRM

先に述べた1990年初頭のディジタル化に伴って確立された著作権保護技術の総称を，DRM(Digital Rights Management)と呼ぶ．DRMは，主には，著作権保護の技術的仕組みのことを指すが，技術だけでなく，コンソーシアムでの契約や，法律およびユーザへの教育も重要になる．

DRMの要件は，主に以下の2つである．

①コンテンツの著作権者および，そのコンテンツの流通にかかわる人に適切な対価を還元すること．コンテンツを不正にコピーして販売することは，本来得るべき人への対価を横取りしている行為となる．他にコンテンツの不正利用の例としては，不正アップロードやダウンロード，映画館での不正録画などが含まれる．

②コンテンツの利用者の利便性を損なわないこと．例えば，物理的なエラーなどで，DVDの万一再生できなくなったときに備えて，バックアップをとることは許可されるべきである．また，コンテンツを自宅のリビングで視聴するだけでなく，お風呂のテレビやモバイル環境で視聴することも，利用者の権利の1つである．

利用者の一部が不正なコンテンツ利用をしている現状を考えると，この2つの要件は相反しているとも思われる．これらを，先に述べた技術，契約，法律，

教育で多重にかつバランスよく満たすことが，DRMにおいては重要であり，難しいところである．

（4）要素技術

　DRMの仕組みにおいて，必要となる要素技術は次の4つである．

＜暗号＞

　暗号は，もしデータを他の人に見られても，その内容が分からないように「データを変換」すること，あるいはその変換方法である．変換／逆変換には，鍵と呼ばれる情報を用いる．現在インターネットなどで使われている暗号は，①鍵を持っている人は，高速に変換／逆変換できること，②鍵を持っていない人は，逆変換するのにとんでもない時間がかかる，の2つの条件を満たしている．DRMにおいては，暗号技術は，主にコンテンツ（映画や音楽の情報本体）の変換に用いる．コンテンツを暗号化することによりコンテンツを利用する権利を持たない人や装置が，コンテンツの中身を見たり，不正コピーすることを防ぐ．コンテ

ンツを元に戻すための鍵は，一般的にはコンテンツの利用を許可された装置内に，安全に埋め込まれる.

＜認証＞

認証は，相手や装置がデータを利用する権利があるか，「正当性を確認」することである．例えば，正しい相手や装置には，鍵をあらかじめ与えておいて，任意のデータをその鍵を用いて暗号化した結果が所定の値であることで正当性を確認する．DRMにおいては，コンテンツを利用する権利があるかを確認するために認証を用いる.

＜電子透かし＞

電子透かしは，ある情報を，コンテンツに「埋め込む技術」のことである．埋め込まれた情報は，容易には変更や消去ができない．また，利用者が，情報を埋め込んだコンテンツを視聴した時に，もとのコンテンツと一見見分けがつかないことが必要である．DRMにおいては，例えば著作権者の情報を埋め込んでおき，自分のコンテンツであることを主張する場合に用いる．または，コンテンツの利用者IDを埋め込み，不正コンテンツが発見されたときに，その流出元を特定するのに用いることもある.

＜耐タンパー実装＞

耐タンパー実装は，装置などに秘密の情報(例えば鍵など)を，「安全に実装」する技術である．タンパーは英語のtamper(許可なくいじる，不正に変更するの意味)の意味である．タンパーの例としては，顕微鏡を用いて秘密のデータを直接観測したり，端子を立てて電気信号を観測する方法がある．また，鍵情報を用いた処理中の電力や電磁波の変化から，非侵襲で，鍵情報を求める方法(サイドチャネル攻撃と呼ばれる)などがある．こういった分析を困難とする技術(例えば，動作中にランダムな電力変化を生じるようにするなど)が，耐タンパー実装である．耐タンパー実装されている装置からは，例えば不正に鍵を取り出して，コピー装置を作ることが困難となる．(5)で説明するB-CASの例では，B-CASカードが耐タンパー実装されていることにより，システム全体の安全性を確保している．ICカードの耐タンパー実

装基準が世界標準で定まっており，B-CASカードはその基準を満たしている．

(5) 著作権保護の一例(B-CAS)

　DRMは，放送や通信，記録メディアごとに，対応した業界団体が，仕組み
を議論して決めている(業界標準化という)．

　ここでは，日本の放送DRMであるB-CASの事例を示す．参考書籍[2]を参考
にする．

　他のDRMとして，DVDやSDカードなどの記録メディアDRMや，家庭内ネット
ワークのDRMなどがある．詳細は，参考書籍[3]を参照すること．

＜B-CASとは＞

　B-CASとは，日本のディジタル放送
で用いられている限定受信システムのこ
とである(B-CASのBはBroadcast(放送)，CAS
は，Conditional Access Systems(限定受信)を
意味する)．限定受信システムとは，特定
の視聴者(例えば，有料放送を契約している
人，無料放送の場合は，正規の端末の視聴者を

図表1　B-CASカード

示す)だけに番組を提供することをいう．B-CASシステムでは，限定受信のため，
図表1に示すB-CASカードを用いる．B-CASカードは，TV装置やレコーダ装置
の裏や蓋の中に装着されるICカードであり，新しいTV装置を購入するとTVに
同梱されている．中古TVを設置する場合などには，後述するB-CAS社から購
入することも可能である．B-CASカードの設定は，装置を設置する際に，設置
業者が実施する．ディジタル放送では，配信側でコンテンツが暗号化され，正
規のB CASカード内でコンテンツ復号のための鍵が求められる．

＜B-CASの経緯＞

　B-CASシステムは，最初は，2000年にWOWOWの有料放送を対象にして導
入された．その後，2004年に，地上ディジタル無料放送にコピー制御が導入さ

れた際に，すべての受信装置に広く採用されるようになった．無料放送に限定
受信システムが採用されることに違和感を覚えるかもしれない．この背景には，
無料放送を録画して，有償で販売した事件がある．不正コピーを防止して配信
側で決めるコピー制御を受信側で守らせるため地上ディジタル無料放送の視聴
にも，B-CASカードの利用を強制化している．

＜B-CASの仕組み＞

　図表2にB-CASシステムの仕組みを示す．図中，左側が送出系(放送局側)で，
映像データをスクランブルして送出し，右側の受信機とB-CASカード内の処理で
もとに戻している．

図表2　B-CASの仕組み(3層の鍵)[2]に記載の図を元に著者で作成

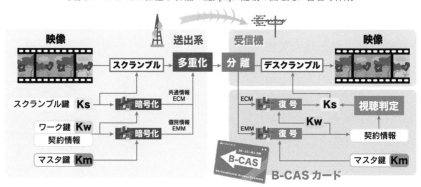

　鍵は，マスタ鍵，ワーク鍵，スクランブル鍵の3つを用いている．マスタ鍵は
カードごとに異なる鍵であり，各B-CASカードには対応するマスタ鍵が格納され，
送出系ではすべてのカードのマスタ鍵を管理している．ワーク鍵は放送事業者側
で生成されて，マスタ鍵を用いて暗号化されて，B-CASカード側に配送される．
また，スクランブル鍵はワーク鍵を用いて暗号化されて配送される．ワーク鍵の
更新は放送事業者が決定し，スクランブル鍵の更新は2秒に1度となっている．
なお，B-CASカード内では，マスタ鍵を用いて，ワーク鍵およびスクランブル鍵
を順次獲得し，受信機にスクランブル鍵を通知する．

　新たにTVを購入してB-CASカードを登録すると，送出系から受信機に対応す

る契約情報が配信され，視聴できるようになる．また，有料放送の契約期間が終了した場合も同様に，B-CASカード側で契約期間を管理しており，カードが受信機にスクランブル鍵を出力しないことで，視聴ができなくなる．

B-CASシステムの安全性について述べる．B-CASカードは，中身を観測したり改造したりすることが難しい，耐タンパー実装で守られている．具体的には，暗号方式や契約情報などのカード内での管理，マスタ鍵などが，保護の対象となっており，偽造カードの製造やカード動作をシミュレートするソフトウェアの作成を防止する．B-CASカードは，B-CAS社が発行し，その品質を確保している．また，B-CASカードの耐タンパー性は，第三者により評価され認証される．そのため，B-CASカードから復号方式やマスタ鍵，ワーク鍵を求めることは困難である．スクランブル鍵はB-CASカードと受信機の間で観測できるが，2秒に1度変更されているため観測したスクランブル鍵を悪用することは困難と考えられている．なお，「スクランブル／デスクランブル」の言葉は，「暗号化／復号」よりも方式として簡易であるとの意味で，あえて区別して用いている．デスクランブル方式は，契約の上で，受信機メーカに開示されている．

＜B-CASの仕組みを侵害する事例＞

B-CASの仕組みを侵害する事例は数多く報告されているが，そのうち以下では2つの事例を示す．

①2016.6.6佐賀市の無職青年（当時17歳）が，パソコンで有料衛星放送を視聴可能な不正プログラム（FreeCASと呼ばれる）をネットで公開し，不正競争防止法違反（技術的制限手段回避装置の提供：技術的制御手段であるB-CASカードを使わなくても（つまり回避して）番組を見ることができるプログラムを提供したという意味）の容疑で逮捕された[4]．FreeCASには，不正者が獲得したワーク鍵が内蔵されており，このソフトを用いるとB-CASカードを使わなくても無料で放送を視聴可能となる．ワーク鍵を変更することで，FreeCAS内のワーク鍵を無効化できるが，不正プログラム側もすぐに追従しており，いたちごっことなっている．

②2012年には，不正B-CASカードであるBlackCAS（ブラックキャス）が登場した．有料放送を，月々の料金を支払うことなく，2038年まで視聴可能なカードと言われている．この不正カードは，通常のB-CASカードを改造し，有料放送の無料視聴期間7日間を，2038年まで不正に延長しているとされる．改造カードの販売は不正競争防止法に違反し，実刑となる可能性がある．また視聴するだけでも刑法により罰せられる可能性があるため，知らずに購入しないように注意が必要である．ただし，海外で提供されている場合は，日本の法律で取り締まれないとのコメントもある．BlackCASは，現時点の2018年8月に，ネット上で販売されていることが確認できる[5]．

<B-CASに関連する法律・契約>

放送コンテンツは技術だけでなく，法律や契約でも守られている．有料放送を無料で視聴できるようにB-CASカードを改ざんする行為や，不正改ざんプログラムをインターネットに公開するなどの行為は，刑法や不正競争防止法，著作権法などに違反し，罰則として懲役や罰金が科せられることがある．また，損害賠償請求の対象にもなる．

また，受信機の製造者やB-CASカードの製造者は，秘密保持契約等を取り交わした上で，製造に必要となる特別な情報を有する．違反した場合は，受信機等の製造ができなくなり，ビジネス的な制裁を受けることになる．

2.個人情報保護とプライバシ保護

本節では，個人情報保護とプライバシ保護について説明する．

(1)個人情報保護とプライバシ保護

個人情報保護とプライバシ保護は，重なっている部分も多く，よく混同されて扱われるが，別のものであ

る．図表3に比較を述べている．表中の①～⑥の各項目の説明をすることで，両者の差を述べる．

図表3　個人情報保護とプライバシ保護

	個人情報保護	プライバシ保護
取り扱うデータ	個人情報 ①	パーソナルデータ ②
脅威の例	個人情報を管理するサーバにサイバー攻撃が行われ，情報が漏洩する．漏洩した情報を用いたなりすましや，漏洩した情報を用いた特定個人への攻撃など．③	本人が知らないところで，その人の情報が勝手に使われる．④
ベースとする法律，ガイドライン	個人情報保護法 ⑤	憲法OECDプライバシ8原則 ⑥

①個人情報

　個人情報は，個人情報保護法では「生きている個人に関する情報で，①特定の個人であるとわかるもの及び他の情報と紐づけることで容易に特定の個人であるとわかるもの，または②個人識別符号が含まれるもの」(第1章(総則)第2章(定義))と定義されている．①の例としては名前や生年月日など，個人を特定できる情報である．②は2015年の個人情報保護法改正で追加されたものであり，例えば指紋をデータ化したものや運転免許証の番号やマイナンバー等であり，法律や政令，規則で定めるものである．

②パーソナルデータ

　パーソナルデータは，個人情報より広い概念であり，個人の情報はすべて含まれる．例えば，個人の位置情報や購入履歴などは，単体では個人は特定できないものの，プライバシ保護では保護の対象となる．これらの情報は，例えば商品やサービスのマーケット情報分析など，ビジネス的に価値が期待される一方，人によっては，これらの情報を知られるのは，追跡・監視されているようにも感じられ，嫌悪感を抱くことがある．パーソナルデータの収集と利用，第三者提供には，基本的には，本人にその目的を提示して，同意を得ることが必要であ

る(オプトイン). あるいは，データの種類や利用環境によっては，後から本人の求めに応じて，収集と利用，第三者提供を停止するオプトアウト方式を用いることもある.

③個人情報保護における脅威

　個人情報に対する脅威の例としては，例えば個人情報が管理されているサーバにサイバー攻撃が行われ，情報が漏洩することが挙げられる. 漏洩した情報を用いたなりすましや，漏洩した情報を用いた特定個人への攻撃などの脅威が考えられる. 後者の例としては，特定の個人の住所や電話番号，クレジットカード番号などが漏洩することで，ストーカーや犯罪など身体的，財産的な不利益を被る場合が挙げられる. また，特定の機微な情報[注1]が漏洩することにより，例えば就職や結婚において，不当な社会的差別を受けてしまう可能性がある.

④プライバシ保護における脅威

　プライバシ保護の意味は，昔と変わってきている. 19世紀の米国では，プライバシは，他から干渉されずに一人でいる権利として論じられた. 現在では，自己の情報をコントロールする権利と解釈される. 例えば，購入履歴情報をもとに，この商品はいかがですか，などとお勧めをされる場合，購入履歴情報の利用を本人が許可していれば特に問題はない. また，携帯電話の行先案内アプリに，位置情報を利用するように自ら設定している場合も問題ない. 自分で情報をコントロールできているからである. 一方，自分の知らないところで，情報が収集され，勝手に使われている場合は問題となる. そのため，プライバシ保護では，本人の同意が重要視される. 上記②にも示した，オプトインとオプトアウトのいずれか，あるいは両方の仕組みを備えることが必要になる.

⑤個人情報保護法

　正式には個人情報の保護に関する法律という. 個人情報を取り扱う事業者

が取り扱いに際し，遵守すべき義務等を規定した法律である．2003年5月に成立し，2005年4月1日に全面施行した．その後，改正法が，2015年9月に公布され，2017年5月30日に全面施行した．改正は，個人情報の漏洩事件が多くなったことと，産業振興側からパーソナルデータ活用に対し強い要請があったことがきっかけで検討が開始された．これら状況の変化に合わせて，法律家や法学者のみならず，企業や工業系の専門家の間で多くの議論を経て，改正法が策定された．

　改正のポイントの一部として，以下の3点について説明する．

①個人識別符号の追加

　上記①に述べた通り，個人情報の定義に，個人識別符号が追加された．個人識別符号は，例えば指紋をデータ化したものや運転免許証の番号やマイナンバー等であり，法律や政令，規則で定めるものとされている．メールアドレスや携帯電話番号などは個人識別符号に含まれないものとされているが，メールアドレスが名前そのものになっている場合や，他の情報と合わせて簡単に照合ができる場合には個人情報とみなされる．

②匿名加工情報の新設

　匿名加工情報とは，誰の情報か分からないように加工して匿名化した情報である．通常，個人情報は本人の同意なく，第三者に提供することはできないが，匿名加工情報に加工することにより，本人の同意がなくても，提供することができる．日本における事業形態として，個人情報を収集する事業者とそれを活用する事業者が分かれている場合が多いとされており，匿名加工情報を流通することで，ビジネスに活用しやすくなると考えられている．ただし，パーソナルデータを匿名加工情報に加工することで，もとの情報からビジネスに必要となる特徴がなくなり，活用できなくなる可能性がある．目的にあった加工を工夫する必要がある．また，どこまで加工すればよいのかの明確な基準がないため，今後事例を重ねる必要がある．経済産業省より，匿名加工情報の具体的な作成方法を検討するためのマニュアルが公開されている[6]．また，最近では，NECや日

立，NTTなどが，匿名加工情報の作成とその安全な利活用をサポートするサービスを開始している[7][8][9].

③要配慮個人情報の新設

　要配慮個人情報は，本人の人種，信条，病歴など，情報の開示により，本人に不当な差別や偏見が生じる可能性のある情報である．これらの情報については，本人が事前に承認した場合のみ第三者に提供できる．先に提供し，後から提供を禁止する，オプトアウトでの提供は禁止されている．

⑥プライバシ保護のベースとなる法律

　プライバシは，憲法13条で定義される生命，自由および幸福追求に対する国民の権利の1つとされる．また，世界的には，1980年に規定されたOECD（経済協力開発機構：Organization for Economic Cooperation and Development）のプライバシ8原則が参照される．プライバシ8原則は次の8項目である．OECDプライバシ8原則は，個人情報保護法策定時に参照されている．

①収集制限の原則：個人データを収集する際には，法律にのっとり，また公正な手段によって，個人データの主体（本人）に通知または同意を得て収集すること．

②データ内容の原則：個人データの内容は，利用の目的に沿ったものであり，かつ正確，完全，最新であること．

③目的明確化の原則：個人データを収集する目的を明確にし，データを利用する際は収集したときの目的に合致していること．

④利用制限の原則：個人データの主体（本人）の同意がある場合，もしくは法律の規定がある場合を除いては，収集したデータをあらかじめ提示した目的以外のために利用してはいけない．

⑤安全保護措置の原則：合理的な安全保護の措置によって，紛失や破壊，使用，改ざん，漏えいなどから保護しなければならない．

⑥公開の原則：個人データの収集を実施する方針などを公開し，データの存在やその利用目的，管理者などを明確に示さなければならない．

⑦個人参加の原則：個人データの主体が，自分に関するデータの所在やその内容を確認できるとともに，異議を申し立てることを保証しなければならない．

⑧責任の原則：個人データの管理者は，これらの諸原則を実施する上での責任を有すること．

憲法やOECDガイドラインはあるものの，プライバシの侵害については，個人の判断が基準となるため，（個人情報保護法以外には）明確な禁止事項や違反した場合の罰則などを定めた法律はない．そのため，侵害されたときにその本人が民事裁判を起こすなどの個別の対処が必要である．

(2) 問題となった3つの事例

最近では，個人情報の漏洩事件が，毎月のように新聞等メディアで公開されている．以下，個人情報について問題となった3つの事例を示す．

①JR東日本　Suica情報販売(2013年)[10]

2013年6月27日に，日立製作所がSuica乗降履歴を用いた分析サービスを発表した．これをきっかけに，JR東日本がSuica乗降履歴を販売したとしてSNSで炎上が起こった．JR東日本が販売するとした乗降履歴データは，実際には，氏名や電話番号などの個人を識別する情報を取り除いたものであったが，それでも利用者の拒否反応は強かった．本人からの求めでデータの販売，譲渡を停止できる「オプトアウト」の窓口には，10月初頭の時点で販売拒否の要望が約5万5,000件寄せられた．SNS炎上は，JR東日本の説明が遅れたことと，初期対応の不備が，主な原因とされている．2015年11月，この件に関してJR東日本が設置した有識者会議のとりまとめが提出され，そのアドバイス(個人情報保護法を参考に慎重に対応すること)に従い，現在はJR社外へのデータ提供は見合わせている．

②日本年金機構情報漏洩(2015年)[11]

2015年5月に，日本年金機構の複数の所員に対して標的型メールが送られた．このうち，5人の所員が，メールの添付ファイルを開封し，31台の端末がウィルスに感染した．その結果として，約125万件の基礎年金番号や，氏名，

生年月日などの個人情報が流出した．調査委員会が設置され，サーバのデータやログを用いて攻撃の詳細の分析が行われ，その攻撃手順や対策などが報告されている．

③ベネッセ情報漏洩(2014年)[12]

2014年7月に，ベネッセの顧客情報3,504万件が，グループ企業のシンフォームの派遣社員により，不正に持ち出され名簿業者3社に売却された．この情報を購入した他社からダイレクトメールが届くようになった顧客からの問い合わせにより，情報の漏洩が判明した．漏洩した情報は，進研ゼミなどの顧客情報であり，子供や保護者の氏名，住所，電話番号などである．経産省の指導の下，2014年10月に情報セキュリティ監視委員会が設立され，社外有識者による定期的な監査を受けている．この事例の場合，漏洩した情報が，10歳以下の子供の情報であったため，保護者が大いに嫌悪感を抱き，重大な事項として取り扱われた．2017年10月には，顧客がベネッセ側に10万円の損害賠償を求めた訴訟で最高裁の判決があった．その内容は，審理尽くされていないとのことで高裁に差し戻しであった．

(3) パーソナルデータの活用

Internet of Things(IoT)の時代が，到来しているといわれて久しい．IoTの時代とは，身の回りのさまざまなモノがインターネットにつながり，多種多様で大量のデータを効率的に収集し，サーバにおいてAI技術を用いて分析，活用し，新しい事業やサービスが創り出される，いわば，データ活用の時代である．例えば，個人の動線を逐次観察し，適切なタイミングで，健康に配慮した食生活のアドバイスをするサービスが考えられる．しかしながら，収集する情報の中には，個人情報やパーソナルデータが含まれるため，個人情報保護やプライバシ保護に配慮することが必要である．

パーソナルデータを個人情報やプライバシ保護に配慮しつつ，活用するためには，法律の整備と技術の進化，およびビジネスモデルが必要である．法律の

整備については，先に述べた2015年の個人情報保護法の改正で1つの区切りは整った．しかしながら，安心してビジネスに利用するためには，例えば匿名加工情報としてどこまで加工すればよいのかなど，具体的な判断の蓄積が必要である．技術の進化とビジネスモデルについて，次の(4)，(5)で述べる．

(4)技術の進化

ここでは，パーソナル情報の活用に向けて検討が進んでいる技術の例として，以下の2つを説明する．

<匿名加工技術>

匿名加工とは，個人が特定されるリスクを低減するため，k-匿名化やノイズ付加など，情報を加工する技術である．

k-匿名化は，データセットに含まれる属性の項目を勘案し，同じ属性をもつデータがk以上存在するように，データを変換する加工方法である．例えば，住所情報の場合，番地情報を削除したり，市の名前だけにするなど一般化したりすることで，属性から個人を特定しにくくする．例えば図表4では，名前を削除し，年齢を丸め，住所をより大ぐくりとすることで，同じ属性を持つデータが2つ存在するように加工している．また，k-匿名化の応用として，データの属性がℓ種類以上になるように加工するℓ-多様性，データの分布の偏りが小さくなるように加工するt-近似性も提案されている．

ノイズ付加は，もとのデータに対して，一定の分布に従ったノイズを加える技

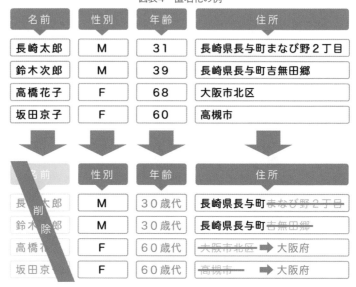

図表4　匿名化の例

術である．個々のデータにはノイズが含まれ（例えば，もとの年齢にある所定の乱数を加えるなど），個人が特定できなくなる．一方，ノイズを相殺することにより，統計値は正しい値になる．

＜秘密計算＞

　もう1つのアプローチは，暗号化したまま処理を行う秘密計算である．高機能暗号とも呼ばれる．情報をユーザの手元で暗号化し，クラウドにこれらを収集する．クラウドでは収集された情報を暗号化したまま，データ分析を行ったり，特定のキーワードが付与されたデータを検索したりする．クラウドから万が一情報漏洩があったとしても，暗号化されているためリスクが低減できる点や，ユーザ本人が暗号化の鍵を管理するため安心である点が利点であり，この分野は，現在盛んに研究がされている．

　研究の分類としては，大きくは，①汎用的な演算を可能とする準同型暗号と，②特定の演算を行う，準同型暗号以外の高機能暗号の2つがある．①の準同型暗号は，暗号化したまま加算や乗算ができる暗号である．加算だけができる

加法準同型暗号や，加算と乗算が両方ともできる完全準同型暗号がある．完全準同型暗号があれば，いったんクラウドに暗号化して預けた暗号文を用いて，任意の分析演算が可能となり便利であるが，現時点では演算処理速度が遅く，暗号文サイズが非常に大きく，実用が難しい．研究は進んでいるので，今後実用可能なレベルに近づくと期待される．

　上記２の例として，以下では図表5のイメージ図を用いて，もとのデータや，検索キーワードを暗号化したまま，検索を可能とする検索可能暗号について説明する．検索可能暗号では，まず，ユーザの手元でデータに対して検索の手掛かりになる「タグ」を付与して，一緒に暗号化し，クラウドに預ける．クラウドでは，データは暗号化されているため，万一漏洩してもそれほど問題にはならない[注2]．検索時には，ユーザは検索キーワードを暗号化し，クラウドに送付し，クラウドの中で暗号化されたデータを対象として暗号化された検索キーワードを用いて，合致するデータを抽出して，ユーザに送付する．最後に，ユーザの手元の鍵で復号して，所望のデータを取得する．

　検索可能暗号は，実証実験の段階にあり，日立や富士通，三菱電機などが報道発表をしている[14][15][16]．

図表5　検索可能暗号のイメージ図

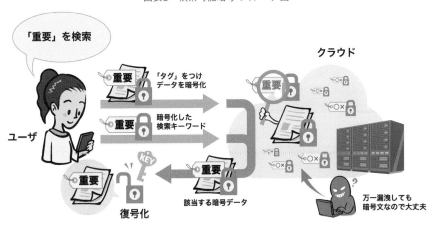

(5) パーソナルデータを活用するビジネスモデル

パーソナルデータを活用するためのビジネスモデル(あるいはキラーアプリケーション)は，現時点では未確立である．例えば，先に述べた，個人の動線に従って，適切にアドバイスをしてくれる有料サービスがあったとしても，現状では，あまり利用者がいないと考えられる．現状，無料の類似アプリサービス等が多くあり，料金を支払ってまで利用したいと思うユーザは少ないと思われる．

パーソナルデータを活用する，新たなアプローチとして，情報銀行について紹介する．情報銀行は，インフォメーションバンクコンソーシアム[17]が推進するビジネス構想である．パーソナル情報を取り扱うHUBとなる機関を設置し，個人がそこに自身の情報を預ける．そして，HUBが個人の設定したポリシーに従って，外部に情報を提供し，そこで得た収入を個人に還元する．この構想に関連し，2018年7月に三菱UFJ信託銀行株式会社から，情報信託機能を担うプラットフォームの実証実験の開始が発表された[18]．説明によると，図表6における

図表6　三菱UFJ信託銀行の実証実験

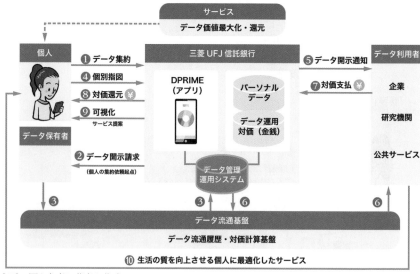

[18]の図を参考に著者が作成

真ん中に位置するHUB機関がデータを集約し，データ利用者にデータを開示して⑦で対価を得て，⑧でユーザに還元している．自分の情報を預けるユーザが増えると，HUB機関に価値のある情報が集まり，パーソナルデータの活用も活発になると期待される．

3.まとめ

　本章では，著作権保護と，個人情報保護・プライバシ保護について紹介した．図表7に，整理の意味で，両者を比較する．

図表7　著作権保護と個人情報保護・プライバシ保護の比較

項目	著作権保護	個人情報保護・プライバシ保護
守る対象	著作権者の権利	個人のプライバシ
攻撃者	コンテンツ利用者（ユーザ）を含む任意が攻撃者になりうる．	不正な名簿屋など
攻撃の意図	コンテンツを不正に利用して利益を得る． コンテンツを無料で利用	プライバシ情報の売買 いやがらせ
技術的対策	暗号，認証，電子透かし，耐タンパー技術などを組み合わせ	匿名加工技術 秘密計算技術
法律	刑法や不正競争防止法，著作権法など	個人情報保護法
ビジネスモデル（エコシステム）	ある程度確立 コンテンツ利用料金に上乗せし，ユーザが負担	まだ確立されていない．

　著作権保護と，個人情報保護，プライバシ保護で扱うコンテンツや個人情報，パーソナルデータは，利用されビジネスになってこそ価値がある．いずれも，暗号などの技術と法律など，多重の仕組みで対策が考えられているが，厳重に守るだけでは意味がない．コントロールされた中で適切に，かつ活発に流通，利用されることが必要である．

　そして，データがコントロールされて利用されるために，最も重要なことは利用者の倫理とモラルであり，バランスと仕組みをしっかりと理解することと考える．

また，自分も狙われるかもしれない，あるいは知らない間に人の権利を侵害しているかもしれないとの危機意識を持つことも重要である．これからの世の中は，データを積極的に活用する時代である．危機意識を持ちつつ，多くの情報をうまく活用していきたいものだ．

注

1 日本産業規格の1つであるJIS Q 15001では，特定の機微な情報の例として，次のような説明がある．

 a)思想, 信条及び宗教に関する事項

 b)人種, 民族, 門地, 本籍地, 身体・精神障害, 犯罪歴, その他社会的差別の原因となる事項.

 c)勤労者の団結権, 団体交渉及びその他団体行動の行為に関する事項

 d)集団示威行為への参加, 請願権の行使, 及びその他の政治的権利の行使に関する事項

 e)保健医療及び性生活

2 問題にならないと判断されるためには，高度な暗号が使われていることや，適切に鍵が管理されていることなどの条件が必要である[13].

参考文献

URL記載のものは, 2018.8閲覧確認のものである.

1 調査会社イプソスおよびオックスフォード・エコノミクスがJIMCAのために調査実施,映画の著作権侵害による経済影響,2011.10.

 http://www.jimca.co.jp/research_statistics/reports/20111031_ipsos_report.pdf

2 米谷寿子・山下幹雄・藤原純一, デジタル放送に対応した限定受信システム, 東芝レビューVol.55 No.12, 2000.

3 今井秀樹, ユビキタス時代の著作権管理技術 東京電機大学出版局, 2006.10.

4 https://abhp.net/alacarte/Alacarte_B-CAS_600000.html

 https://nabe.adiary.jp/0579

5 http://black-cas-card-online.shop/

6 経済産業省, 事業者が匿名加工情報の具体的な作成方法を検討するにあたっての参考資料(匿名加工情報作成マニュアル)Ver1.0, 2016.8.

7 NEC, NECデータ匿名化ソリューション,

 https://www.nec-solutioninnovators.co.jp/sl/danony/

8 日立, プライバシー情報匿名化ソリューション,

 https://www.hitachi-solutions.co.jp/pdap/

9 NTTテクノクロス, NTT独自技術の「Pk-匿名化」を実用化した「匿名加工情報作成ソフトウェア」を販売開始, 2018.7.18.

https://news.mynavi.jp/article/20180718-66090/

10 JR東日本, Suicaに関するデータの社外への提供について, 2015.11. https://www.jreast.co.jp/aas/pdf/20151126.pdf

11 日本年金機構, 日本年金機構における不正アクセスによる情報流出事案について, 2017.10.
http://www.nenkin.go.jp/oshirase/topics/2015/0104.html
https://www.nikkei.com/article/DGXLRSP485547_Y8A710C1000000/

12 ベネッセお客様本部, 事故の概要, 経済産業書に対する改善報告書の提出, 2014.10.
https://www.benesse.co.jp/customer/bcinfo/01.html
http://www.meti.go.jp/policy/it_policy/privacy/downloadfiles/tokumeikakou.pdf

13 個人情報保護委員会, 個人データの漏洩等の事案が生じた場合等の対応について, 平成29年. https://www.ppc.go.jp/files/ iinkaikokuzi01.pdf

14 日立ソリューションズ, 日立の秘匿検索技術でマイナンバーを安全に管理するシステムを提供開始, 2015.9.8ニュースリリース.
https://www.hitachi-solutions.co.jp/company/press/news/2015/0908.html

15 富士通, 暗号化したまま検索が可能な秘匿検索技術を開発, ニュースリリース. 2014.1.15. http://pr.fujitsu.com/jp/news/2014/01/15.html

16 三菱電機, 秘匿検索基盤ソフトウェアを開発, ニュースリリース, 2013.7.3.
https://www.ppc.go.jp/files/pdf/iinkaikokuzi01.pdf

17 インフォメーションバンクコンソーシアム,
http://www.information-bank.net/index.html

18 三菱UFJ信託銀行株式会社, 新たなデータ管理サービス提供に向けた実証実験の開始について, 2018.7.18.
https://www.tr.mufg.jp/ippan/release/pdf_mutb/180718_2.pdf

計算と暗号の話

情報セキュリティ学科　穴田　啓晃

1.はじめの話

　若い人たちへ計算や暗号について面白いところをお伝えするのが本稿の目的である．ただし，計算や暗号が扱う情報というものは，通信されて初めて意味を持つものだろう．そこで，はじめに通信について触れたい．

（1）波に乗って情報がやってくる

　私たちは日常会話に声を使っている．声は音であり，音には高低がある．音の高低は空気の振動の性質である．空気の振動は波として表すことができ（文献[1]を参照），すなわち音の高低は1秒当たり何個の波が押し寄せているかで決まる．この個数を周波数と言う．単位はHzでヘルツと読む．例えば，楽器の調律で基準となる音は440Hzの「ラ」だそうだが，これは1秒間に空気の振動の波が440個押し寄せている音である．このように，声が空気の振動の波，すなわち音の波に乗ってやって来て，情報として聴き手に認識される（図表1）．なお，音の大きさ，すなわち音量は音の波の高さで決まる．

　人間が認識可能な音の周波数には限界があり，下限は20Hz，上限は20kHzと言われている[1]．この幅を可聴域という．音をCD（コンパクト・ディスク）に収録するときは，マイクロフォンの振動膜に押し寄せる音の波の高さを記録する．振動膜の動きは連続なのだが，記録するほうは連続というわけにはいかない．というの

も，2分の1秒(0.5秒)毎に記録，そのまた2分の1毎に記録，というように際限なく細かい頻度で記録することは不可能だからである．それゆえ実際には，記録の頻度は1秒当たり有限回である．CDの場合は44,100回である．このように，物の状態を一定時間間隔で記録することをサンプリングと言う．この言い方を用いるとCDのサンプリング周波数は44,100Hzである．

図表1　音の波に乗って声がやってくる

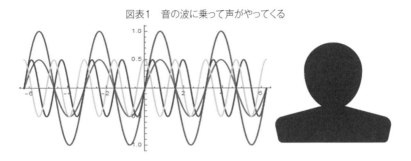

(2) アナログデータからデジタルデータへ

アナログは連続な量を表す概念である．実数の集合，すなわち数直線がその例である．一方，デジタルは離散な量，すなわちアナログに対してとびとびの値しか取らない量を表す概念である．実数の部分集合としての，一定間隔の数の集合がその例である．サンプリングは，アナログ世界からデジタル世界へ概念を移行する手続きと考えることができる．

音の波は時間について連続な量である．すなわち，時間は連続な量であり，

図表2　アナログデータの時間軸についてのサンプリング

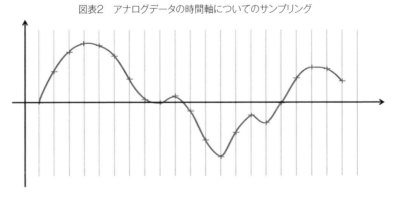

各時点における音の波の高さがデータである．音の波のアナログデータに対し，時間軸を数直線に見立て，サンプリングを考えよう．図表2に示すように，波といっても正弦波とは限らないのだが，とにかく一定の時間間隔で波の高さを記録する．

　図表2のように音の波のアナログデータをサンプリングすることによって音の波のデジタルデータが得られる．データの包含関係を考えると，元データのアナログデータはデジタルデータを含んでいる．ところが驚くべきことに，波の場合は，条件付きではあるが，デジタルデータからアナログデータを復元することができる．これを述べているのが，1928年にハリー・ナイキストによって予想され，1949年にクロード・E・シャノンと日本の染谷勲によって独立に証明された次の定理である（文献 [2]を参照）．

サンプリング定理　波のアナログデータが可聴域にあるとする．可聴域の上限周波数の2倍以上の周波数でサンプリングしておけば，波のデジタルデータから波のアナログデータを復元できる．//

　この定理によれば，可聴域に関する限り，CDのサンプリング周波数は十分である．なぜなら，CDのサンプリング周波数は44,100Hz，すなわち可聴域の上限周波数20kH（20,000Hz）の2倍以上であるため，デジタルデータからアナログデータを復元できるからである．ただし注意点として，ある時点における音の波の高さを記録するとき，（時間のみならず）音の波の高さ自体も連続な量であり，これをそのまま記録することが難しい．CDでは音の波の高さもとびとびの値として表現しなければならず，これを量子化という．量子化により波のアナログデータを完全に復元することができなくなるのだが，これを今は無視しよう．もう一つの注意点は，図表2のような，正弦波でない歪んだ音の波が可聴域にあるとはどういうことかということである．この説明にはフーリエ解析という数学が必要になるのだが，これも今は無視しよう．この「はじめの話」で理解頂きたいことの一つは，可聴域の，つまり認識可能なアナログデータは，デジタルデータにほぼ等価に置き換えられる，ということである．

では，デジタルデータに置き換えて何がうれしいのか．実は，前述のクロード・E・シャノンが1948年に発表した『通信の数学的理論』[3]によれば，情報源から出てきたデータは圧縮することでより少ないデータに等価に置き換えられ，従って速い通信が可能となる．また，データに対し誤り訂正符号化という処理を通信前に施すことで雑音に抗し正確なデータを受け取れる通信が可能となる．このような利点があるため，アナログデータからデジタルデータへ移行するほうがうれしいというわけである．詳しく知りたい方は「情報理論」をキーワードにぜひ調べてみていただきたい．

　こうした事情から，私たちがスマートフォン（スマホ）やパソコン（PC）でデータを扱うときは，デジタルデータを扱っている．デジタルデータとはとびとびの値を取る量であるから，これはすなわち記号と考えてよい．ここで記号とは，私たちが日常で用いている文字列や数字である．ただし，スマホやPCで高速に処理するた

図表3　アスキー符号化

1バイト文字	2進数	1バイト文字	2進数
A	1000001	N	1001110
B	1000010	O	1001111
C	1000011	P	1010000
D	1000100	Q	1010001
E	1000101	R	1010010
F	1000110	S	1010011
G	1000111	T	1010100
H	1001000	U	1010101
I	1001001	V	1010110
J	1001010	W	1010111
K	1001011	X	1011000
L	1001100	Y	1011001
M	1001101	Z	1011010

め，記号を0と1で表現する．例えばアルファベット{A,B,…,Z}の各文字は記号でありデジタルデータである．各々の記号は，アスキー符号化という対応表により，0または1の7個の並びに対応付けられる．図表3の表はアスキー符号化を表す．例えばAは1000001に対応する．ひらがな・カタカナ・漢字にも符号化が定められている．0または1の並びとして定まっていることが要点である．

(3) デジタル信号処理，デジタル通信

　個々の0及び1は，それぞれ低い電位(low)と高い電位(high)で電気的に表すことができる．横軸を時間軸，縦軸を電位軸に取ったときのグラフを電気信号と呼ぶ．電気信号により0または1の並びを表すことができ，また，送ることができる．ただし，送るときには声と同じように波が必要であり，矩形の電気の波(矩形波)が電気信号を送る基本的な波となっている(図表4)．電気信号を送るとは矩形波を加工することである．

図表4　電気信号を送る矩形波.横軸は時間,縦軸は電位.

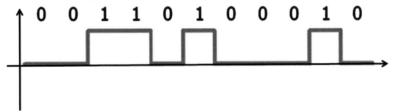

　スマホやPC中では，電気を通す導線であるワイヤーの中を電気信号が飛び交っている．電気信号は飛び交うのみならず，論理ゲートと呼ばれる電子部品に入っていく．論理ゲートにはワイヤーが3本つながっており，内2本は入力ワイヤー，残り1本が出力ワイヤーである．論理ゲートの中では，入力ワイヤーの電気信号のlowとhighに基づき，出力ワイヤーのlow/highが決まる(図表5左)．1本が入力ワイヤーでもう1本が出力ワイヤーの計2本のNOTゲートもある．

　1個1個の論理ゲートの電気的処理はこのように単純だが，論理ゲートが数多く集まると複雑な電気的処理が可能となる．これがスマホやPCの中の電子部品で

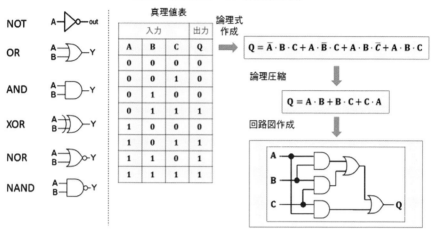

図表5 （左）論理ゲート／（右）論理回路

あるcentral processing unit（CPU）である[2]．ここで電気信号のlowとhighが0と1を
それぞれ表すことを思い出して頂きたい．例えば図表5右のように，させたい処理
を0と1の入出力対応図（真理値表という）で表す．次いで論理式を作成し論理圧縮
し，回路図を作成すると，おもちゃのような簡単な例ではあるが，少し複雑な処
理ができる．この例ではたった5個の論理ゲートであるが，数百万から数億個も
集まると，文字や音声や画像の処理や，複雑な科学技術計算ができるというわ
けである．この（魔法のような）電気信号の処理の技術をデジタル信号処理という．

　さて，複雑な電気的処理ができると言ってもその速度が遅いのでは使い物に
ならない．実は，その処理速度が非常に速いのである．スマホやPCの場合，ど
れ位速いかというと，電気信号を送る前述の矩形波（図表4）の波の個数が，1秒
当たり10億個ほど，つまり1GHz程度である．この波の個数を動作クロックとい
う．ご自身のスマホやPCの動作クロックをぜひ調べてみていただきたい．

　私たちがスマホやPCどうしでデジタルデータを飛ばし合うときはどのような波を
使うかというと，このときは電磁波を使い送っている．電磁波はアナログの波で
あるから，つまりアナログの波を使いデジタル通信している．スマホで実際に使
われている方式は込み入っているので触れないが，binary phase-shift keying

(BPSK)と呼ばれる方式では，デジタルの電気信号(図表6上段)を用い，搬送波(中段)に対し変形を施し，変形された波である変調波(下段)を送信する．電磁波を受け取る側では復調という処理を施し，デジタルデータに戻す．この搬送波の周波数が動作クロックに相当する．スマホに用いられている搬送波は1GHz程度という高い周波数である．

図表6　単純なデジタル変調(BPSK)

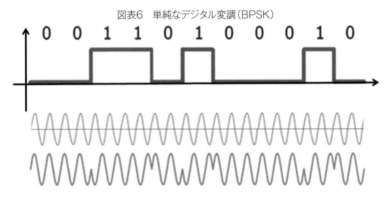

(4)ここまでのまとめ

　ここまでなぜ計算の話や暗号の話の前に，波，アナログデータ・デジタルデータ，デジタル信号処理などに触れてきたかというと，現代ではデジタル信号処理や電磁波の通信が，頭の計算や音声の通信と比較し桁違いに高速になされていることを強調したかったからである．何桁くらい違うのだろうか．動作クロックで比較する．声の通信はざっくり言って1kHzすなわち1,000Hz，電磁波のデジタル通信は1GHzすなわち1,000,000,000Hzと考える．すると6桁，つまり百万倍くらい違う．このように高速な通信あるいは計算を私たちが日常用いている事実を感じ取っていただきたい[3]．参考までに可視光線は電磁波であり，その周波数は1,000,000,000,000,000Hz(1ペタHzという)程である．「百聞は一見にしかず」ということわざがあるが，単純に桁だけで比較すれば，百聞どころか一兆回聞いてようやく一見に等しい[4]．

2.計算の話

　本稿で説明する暗号は，より正確には計算量安全暗号と呼ばれるものであり，計算についての説明が必要になる．しかしながら，この計算の話自体面白い，というよりは，実は計算量安全暗号は計算の理論の一部である．

（1）計算能力

　スマホやPCなど，CPUを搭載した機械を計算機械と呼ぼう．前述のように，現代の計算機械は高速な計算を実行可能である．その計算機械の計算能力をクラス分けすることが，次節の暗号の話で重要となる．ただし，本稿でいう計算機械は専用の計算機械を想定する．専用の計算機械とは，1台の計算機械で動かすソフトウェアの種類が複数あるのではなく，1つしかないものを指す．アプリが1つのみのスマホを連想いただきたい．

　計算の能力をどうクラス分けするかというと，計算機械が処理する入力データの長さを λ と書くとき，計算ステップが λ の関数としてどう表されるかで分ける．

　第1のクラスは，計算ステップが λ の多項式関数で表されるクラスである．これを多項式時間のクラスという．$p(\lambda) = \lambda^2 + 2\lambda + 3$ は λ の多項式関数の例である．λ 桁の2つの数の乗算を筆算するときは，ざっくり言って λ^2 ステップの計算が必要となる．従って，λ 桁の2つの数の乗算を筆算する計算機械は多項式時間のクラスに属する計算機械の例である．

　第2のクラスは，計算ステップが λ の多項式を指数部に持つ指数関数で表されるクラスである．これを指数時間のクラスという．$p(\lambda) = 2^{\lambda^2}$ がこの指数関数の例である．λ 本の入力ワイヤーの入出力関係が与えられたとき，その入出力関係を満たす最も論理圧縮された回路を出力する計算機械は指数時間であることが知られている．

　計算機械の計算能力をクラス分けするとき，多項式時間のクラスや指数時間のクラスの他にもクラスがあり，またもっと粒度の細かいクラス分けの仕方もあるのだが，本稿ではこれらの2つのクラス分けのみを考えよう．

(2) サイコロと計算

　入力に対し100%確実に正しい結果を出力する計算機械を確定的計算機械ということにする．これに対し，確率的計算機械とは，その処理のステップの中にサイコロを振るステップがある計算機械である．サイコロを振るとは，六面ある実際のサイコロを振ることを抽象化かつ一般化し，λ の関数$a(\lambda)$だけの面を持ち各々の面が等確率で出る機械を動かすことを指す．確率的計算機械は，100%確実に正しい結果を出力するわけではない．では何の役に立つかというと，速い処理を期待できる場合があるのである．

　Miller-Rabin素数判定テスト(文献[8]参照)を実行する機械は確率的計算機械の典型例である．実は2002年に発明されたAgrawal-Kayal-Saxena素数判定テスト(AKS素数判定法)というものがあり，サイコロを使わない．つまり，これを実行する機械は確定的計算機械である．しかしながら，Miller-Rabin素数判定テストの方が，処理速度が速い．

　暗号，特に後述する公開鍵暗号では，サイコロを振り素数を選ぶステップがよく現れる．このステップにMiller-Rabin素数判定テストを用いたMiller-Rabin素数生成法がよく使われる．Miller-Rabin素数生成法を示そう．そのため，数学上の概念を導入する．

定義　nを奇数とし，$n=2^s d+1$(d:奇数)と書く．aをnと互いに素な自然数とする．以下のいずれかを満たすとき，<u>nはaを底とする強概素数である</u>という．

　(1)$a^d \equiv 1 \bmod n,$

　(2)$a^{2^r d} \equiv -1 \bmod n.$（全ての$r=0,1,...,s-1$）

定理1　次の性質が成り立つ．

　nが素数⇔任意の(nと互いに素な)aに対しnはaを底とする強概素数

定理2　nを奇数の合成数とする．集合$\{1,2,...,n-1\}$ の中に，nが強概素数と

なる底aは高々$(n-1)/4$個存在する.

定理2の系1　ランダムに選んだaに対し，合成数nがaを底とする強概素数になる確率は$\frac{1}{4}$以下である.

定理2の系2　ランダムに選んだ$a_1,...,a_l$（どの2つも異なる）に対し，合成数nがa_iを底とする強概素数になる確率は$(\frac{1}{4})^l$以下である.

　定理2の系2より，次に述べるMiller-Rabin素数判定法が$1-(\frac{1}{4})^l$以上の確率でnが素数であるか合成数であるかを判定できることが保証される.

Miller-Rabin素数判定テスト

Input：自然数 n，試行回数 l

Step1　for $i=1$ to l do:

　1)整数a_iを選ぶ．（a_i が $a_1,...,a_{i-1}$と異なるように選ぶ）

　2)nがa_iを底とする強概素数でないならばReturn No.

Step2　Return Yes.

　前述の定義の(1)(2)に現れる「べき乗剰余」の計算が，入力データ長の多項式時間で実行可能なことを言及しておかねばならない．その計算方法はbinary法という（文献[4]参照）．こうして，Miller-Rabin素数判定法を用いるとλビットの素数を高い確率で速い処理で生成できる.

Miller-Rabin素数生成法

Input：自然数 λ

Init：string:=1（MSBをビット1とする）

Step 1　for $i=2$ to λ -1　do:

　1)$b\in_R \{0,1\}$（確率1/2でビット0もしくは1を選びbとする）

2）string:=string ∥ b（bを下位ビットに連接）

string:=string ∥ 1（LSBをビット1とする）

Step 2 n:=string を整数と見立てMiller-Rabin素数判定テストを実行

もしYesならstringをreturn

さもなくば（Noなら）Initに戻る

　実際，Miller-Rabin素数生成法が現時点で標準的な素数生成法であると言っても過言ではない．この事実は確率的計算機械の威力を理論的にも実際的に示していると思う.

　速い処理を期待できる確率的計算機械を計算時間のクラス分けの視野に入れることは自然であろう．確率的計算機械であって多項式時間であるものを確率的多項式時間計算機械という．多項式時間のクラスと言えば確率的多項式時間計算機械も含める．次節の暗号の話では，このように広がった多項式時間のクラスを用いる.

（3）無視可能?

　無視可能な関数という考え方をここで導入する．なぜ導入するかというと，暗号，すなわち元の文章がちっとも分からないという性質を捉えるために使いやすい道具だからである．λ を自然数とする．λ の関数 $\varepsilon(\lambda)$ が λ について無視可能であるとは，絶対値$|\varepsilon(\lambda)|$が λ の任意の正値多項式poly(λ)の逆数より速く0に収束することとする．高校生の方であっても次の定義は理解できるだろう.

定義　実数に値を取る λ の関数 $\varepsilon(\lambda)$ が λ について無視可能であるとは，λ の任意の正値多項式poly(λ)に対しある自然数 λ_0 が存在し[$\lambda > \lambda_0$ ならば $|\varepsilon(\lambda)| < \frac{1}{\text{poly}(\lambda)}$]が成り立つこととする.

　では，無視可能でない関数とはどんなものか．それは，λ のある正値多項式poly(λ)が存在し，どんなふうに自然数 λ_0 を取っても[$\lambda > \lambda_0$ であっても

$|\varepsilon(\lambda)|<\frac{1}{\text{poly}(\lambda)}$とはならないことがある関数である.

（4）一方向関数

最後に，一方向関数という考え方を導入する．まず次の計算を見て頂きたい.

$3 \times 5 = 15$,

$29 \times 37 = 1073$,

$571 \times 601 = 343171$.

左辺には2つの素数があり，乗じられており，各素数の桁が1桁，2桁，3桁と上がっている．一方，右辺ではその乗算の計算結果が書かれている.

左辺の計算は筆算を考えれば多項式時間となる．つまり，λ 桁の2つの素数を入力とし乗算を筆算で計算する計算機械は，前述のとおりざっくり言ってλ^2の計算ステップで右辺の計算結果を得る多項式時間計算機械であり，速い処理時間である.

ところが，右辺の計算結果，つまりある2λ 桁の整数n，を入力とし，その因数を無視可能でない確率で出力する確率的多項式時間計算機械があるかどうかは現時点で判っていない．すなわち，ある多項式の回数だけ実行を繰り返せば因数が見つかるような確率的計算機械があるかどうか，判っていない．つまり，要点は，確率的という点でなく多項式時間という点にある．実際，λ 桁の整数aでnを割ってみて割り切れるかどうかを観察することを，整数aを変えながら繰り返せばいつかは因数が見つかるのだが，そのような整数aが$10^{\frac{\lambda-1}{2}}$個ほどもあるものだから，この処理をする計算機械は指数時間となってしまう．実は整数aを素数pに限定してみても指数時間である.

左辺の計算をする計算機械は，関数としては次のように書ける.

$f(p,q)=pq$

ただしp, qは同じ桁数の素数という条件を付けておこう．この関数fを素数乗算関数と呼ぶこととする．素数乗算関数fを実現する計算機械は多項式時間であり，しかしその逆関数f^{-1}は多項式時間計算機械で実現できるか判っていな

い，というわけである.

　入力データの長さ λ の多項式時間で出力する計算機械で実現できる関数fであって，ただし逆関数f^{-1}が多項式時間計算機械で実現することができないものを，一方向関数という. ただし，多項式時間計算機械には，無視できない確率でfの逆関数を実現する確率的多項式時間計算機械も含むものとする. 素数乗算関数は一方向関数の候補である.

3.暗号の話

　前節の計算の話を踏まえ，本節では，代表的な公開鍵暗号であるRSA暗号を見る. なお，数学の用語や概念を用いるが，全射，単射などの写像の概念については[5]等，剰余類環の概念については[6][7]等，加法準同型写像，乗法準同型写像，環準同型写像の概念については[7]等の文献を参考にしていただきたい(あるいはウェブブラウザで検索).

(1)RSA暗号

　RSA暗号は素数乗算関数が一方向関数と期待できることに基づく暗号方式である. 正確にはRSA暗号の暗号化関数も一方向関数と期待できることに基づく. この点は後述する.

　RSA暗号を理解するには，暗号化及び復号が正しく機能するという数学上の構造，及び，元の文章が分からない性質を備えるという暗号学上の構造，の2つに分割し理解するのがよい. 数学上の構造については，通例([8]など)，オイラーの定理を持ち出して説明することが多い. しかしながら，本稿ではあえてオイラーの定理を用いずに説明を試みる. というのも，拡張ユークリッドの互除法，中国剰余定理，及びフェルマーの小定理の3つの小さな道具を用いるほうが，数学上の構造が明解となり，なおかつ，考え方として汎用性があると考えるからである.

　なお，RSA暗号は1977年の研究発表時には画期的な発明とされたのだが，

同時に発表されたRSA署名はそれ以上に画期的とされる．RSA署名については本稿の付録を参照いただきたい．

①拡張ユークリッド互除法

　第1の道具は，中学生の頃より親しんだ，最大公約数を求めるユークリッドの互除法を拡張したものである．まず次の性質を見る．

　整数a_0, a_1の最大公約数dに対し次の等式を成り立たせる整数x,yが存在する．

　　　$a_0x+a_1y=d$

この性質の証明は文献[6][7]などを参照頂きたい．例えば次のような具合である．

　　　$5 \cdot 77+192 \cdot (-2)=1$

　数学にディオファントス方程式という研究分野があり，上記の整数x, yを求める問題，つまり，整数係数2元1次方程式の整数解の有無判定及び求解が，最も単純なケースのディオファントス方程式の問題である．イデアル論という数学の見方をすると，有無判定問題については即答が可能である．すなわち次の式による．

　　　$a_0\mathbb{Z}+a_1\mathbb{Z}=gcd(a_0,a_1)\mathbb{Z}$

　この式の意味するところは，前述のディオファントス方程式が解を持つのはdが確かにa_0, a_1の最大公約数であるか，もしくはその倍数のとき，そのときに限るということである．この性質については数学の文献を見られたい（[6][7]）．一方，求解問題の答え，すなわち解を求める手続きがあるのかというと，ある．それが拡張ユークリッド互除法である．正確には最大公約数dをも与える次の手続きである．

拡張ユークリッド互除法
Input：自然数 a_0, a_1
Init：$i:=1,(x_0,y_0):=(1,0),(x_1,y_1):=(0,1)$

Step 1 While $a_i \neq 0$ do:

1)a_{i-1}をa_iで割った割った商をq_{i+1}, 余りをa_{i+1}とする.

2)$(x_{i+1},y_{i+1}):=(x_{i-1},y_{i-1})-q_{i+1}(x_i,y_i)$を計算する.

3)iに$i+1$を代入する.

Step 2 (a_i=0になったら)Return $(x,y):=(x_{i-1},y_{i-1}),d:=a_{i-1}$

　図表7は, a_0=5, a_1=192のケースでの拡張ユークリッド互除法の実行例を示す. 最大公約数がd=1, ディオファントス方程式の解が$(x,y):=(77,-2)$と求まっている.

図表7　拡張ユークリッド互除法の実行例

i	q_i	a_i	x_i	y_i
0	−	5	1	0
1	−	192	0	1
2	0	5	1	0
3	38	2	-38	1
4	2	d:=1	x:=77	y:=−2
5	2	0	−	−

②中国剰余定理

　第2の道具は, 合成数を法とする計算は, 互いに素な因数を法とする計算の組み合わせに分解すると簡易に実行できる, というもので, 中国剰余定理(あるいは中国人の剰余定理)と呼ばれる.

中国剰余定理

　p,qを互いに素な整数とする[5]. このとき次の写像ϕ及びψがあり, $\psi \circ \phi$は$\mathbb{Z}/pq\mathbb{Z}$上の恒等写像となる. なおかつ, ϕ及びψは環準同型写像である. したがって, ϕ及びψは環同型写像である

$$\phi: \mathbb{Z}/pq\mathbb{Z} \to \mathbb{Z}/p\mathbb{Z} \times \mathbb{Z}/q\mathbb{Z}$$
$$m \mapsto (m \bmod p , m \bmod q)$$

$$\psi: \quad \mathbb{Z}/p\mathbb{Z} \times \mathbb{Z}/q\mathbb{Z} \to \mathbb{Z}/pq\mathbb{Z}$$
$$(r,s) \quad \mapsto (rqv+spu) \bmod pq$$

ただし，u, vは$pu+qv=1$の整数解の一つ.

　この性質の証明は数学の文献[6][7]などを参照頂きたい．困難は分割せよというのがこの定理の心のように思う.

③フェルマーの小定理

　第3の道具は，RSA暗号の核心であり，数学の見方をすると，体の乗法群の有限部分群が巡回群になっている，という性質の最も単純なケースである．しかし，数学の(比較的高度な)見方を持ち出さずとも，明解な理解が可能である．まず次の性質を見て頂きたい.

補題　pを素数とする．任意の整数a, bに対し，次の式が成り立つ.
　$(a+b)^p \equiv a^p+b^p \bmod p$
　証明は左辺を展開し現れる二項係数が，初項と最終項以外，pの倍数になることによる. //

フェルマーの小定理

　pを素数とする．任意の整数aに対し，次の式が成り立つ.
　$a^p \equiv a \bmod p$
　証明は先の補題を用いた次の式変形で与えられる.
　$a^p \equiv \{1+(1+...+1)\}^p$
　　$\equiv 1^p+(1+...+1)^p$
　　$\equiv 1^p+\{1+(1+...+1)\}^p$
　　$\equiv 1^p+...+1^p$ //
　　$\equiv 1+...+1$

$\equiv a.$

④RSA暗号の数学上の構造

　以上3つの道具を準備したところで，RSA暗号の暗号文が確実に復号されることを見る．はじめに，RSA暗号のアルゴリズムとしての手順を正確に定めることが大切である．アルゴリズムとは何かをまだ言及していないことに注意されたい．本稿では，前述の計算機械をアルゴリズムということにしよう．

RSA暗号　RSA暗号は次の3つの多項式時間計算機械から成る．

KeyGen（鍵生成）

　　Input: 自然数 λ

　　Step 1: 2進数で λ 桁の素数 p,q をランダムに生成する（Miller-Rabin素数生成法）

　　Step 2: $N:=pq$ を計算する

　　Step 3: $1<e<(p\text{-}1)(q\text{-}1)$ なる $(p\text{-}1)(q\text{-}1)$ と互いに素な整数 e をランダムに選ぶ

　　Step 4: $ed+(p\text{-}1)(q\text{-}1)y=1$ の整数解 (d,y) を求める（拡張ユークリッド互除法）

　　Step 5: 必要に応じ d を $(p\text{-}1)(q\text{-}1)$ で割った余りを改めて d とおく

　　Step 6: Return $(pk:=(N,e),\text{sk}:=d)$

Enc（暗号化）

　　Input: pk,m（$m \in \mathbb{Z}/N\mathbb{Z}$）

　　Step 1: $C:=m^e \bmod N$ を計算する（binary法）

　　Step 2: Return C

Dec（復号）

　　Input: pk,sk,C（$C \in \mathbb{Z}/N\mathbb{Z}$）

　　Step 1: $m':=C^d \bmod N$ を計算する（binary法）

　　Step 2: Return m'

上述のようにRSA暗号の手順を定めると，RSA暗号の暗号文が確実に復号されるかどうかを論じることができる.

定理　$\text{Dec}(\text{Enc}(\text{pk},m))=m$
　証明は，中国剰余定理の環同型写像ϕ及び逆写像ψ，及びフェルマーの小定理を用いる. 大筋を示す. 図表8を参照しつつ読んで頂きたい.

補題　$m\in\mathbb{Z}/p\mathbb{Z}$とする. $ed=1\ mod(p\text{-}1)(q\text{-}1)\mathbb{Z}$…①とする.
　このとき，次の式が成り立つ：$m^{ed}=m\ mod\ p\mathbb{Z}$. …②
　証明)①より，$ed=1+\exists k(p\text{-}1)(q\text{-}1)$.
　よって，②の左辺$=m^{1+k(p\text{-}1)(q\text{-}1)}=m\cdot m^{k(p\text{-}1)(q\text{-}1)}=m\cdot(m^{p\text{-}1})^{k(q\text{-}1)}$
(フェルマーの小定理より)$=m\cdot(1)^{k(q\text{-}1)}=m$. よって②が成り立つ. //

　定理の証明)$\mathbb{Z}/N\mathbb{Z}=\mathbb{Z}/pq\mathbb{Z}$において$a$乗するという写像を$f_a$と書く. ②と同値な次の等式を示せばよい.
$$f_d(f_e(m))=m. \ \ …③$$
写像ϕ，ψは次の性質を満たす(恒等写像なので).
$$\forall i\in\mathbb{Z}/p\mathbb{Z}, \quad \forall j\in\mathbb{Z}/q\mathbb{Z}に対し, \ \phi(\psi((i,j)))=(i,j),…④$$
$$\forall i\in\mathbb{Z}/pq\mathbb{Z}に対し, \ \psi(\phi(i))=i.…⑤$$
また，写像ϕ，ψは次の性質を満たす(環準同型なので).
$$\forall i,\forall i'\in\mathbb{Z}/pq\mathbb{Z}に対し, \ \phi(i+i')=\phi(i)+\phi(i'),…⑥$$
$$\forall i,\forall i'\in\mathbb{Z}/pq\mathbb{Z}に対し, \ \phi(i\cdot i')=\phi(i)\cdot\phi(i'). \ …⑦$$
$$特に⑦から, \ \forall i\in\mathbb{Z}/pq\mathbb{Z}に対し, \ \phi(i^a)=\phi(i)^a. \ …⑦'$$
⑦'を言い換えると，$\forall i\in\mathbb{Z}/pq\mathbb{Z}$に対し, $\phi(f_a(i))=f'_a(\phi(i))$. …⑦''
ただし，f'_aは$(i,j)\in\mathbb{Z}/p\mathbb{Z}\times\mathbb{Z}/q\mathbb{Z}$を成分毎に$a$乗する写像である.

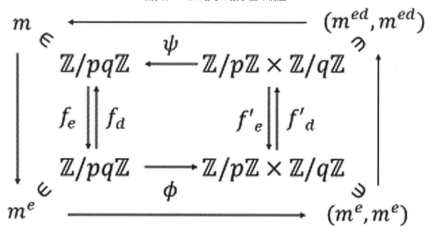

また，⑥⑦と同様に次の等式が成り立つ：

$\forall i, \forall i' \in \mathbb{Z}/p\mathbb{Z}, \forall j, \forall j' \in \mathbb{Z}/q\mathbb{Z}$に対し，$\psi((i,j)+(i',j'))=\psi((i,j))+\psi((i',j'))$,...⑧

$\forall i, \forall i' \in \mathbb{Z}/p\mathbb{Z}, \forall j, \forall j' \in \mathbb{Z}/q\mathbb{Z}$に対し，$\psi((i,j)\cdot(i',j'))=\psi((i,j))\cdot\psi((i',j'))$....⑨

特に⑨から，$\forall i \in \mathbb{Z}/p\mathbb{Z}, \forall j \in \mathbb{Z}/q\mathbb{Z}$に対し，$\psi((i,j)^a)=\psi((i,j))^a$....⑨'
⑨'を言い換えると，$\forall i \in \mathbb{Z}/p\mathbb{Z}, \forall j \in \mathbb{Z}/q\mathbb{Z}$に対し，$\psi(f'_a((i,j)))=f_a(\psi((i,j)))$....⑨"
⑦"がそれぞれ任意のaについて成り立つことを用い，次のような式変形ができる：

③の左辺$=\psi(\phi(f_d(f_e(m))))=\psi(f_d'(\phi(f_e(m))))=\psi(f_d'(f_e'(\phi(m))))$.
...③'
ここで，②から，任意の$(i,j)\in\mathbb{Z}/p\mathbb{Z}\times\mathbb{Z}/q\mathbb{Z}$に対し$f_d'(f_e'((i,j)))=(i,j)$.
よって，③'$=\psi(\phi(m))=m$. ただし最後の等式は⑤による．これで③が証明できた（実は④⑥⑧⑨'⑨"は証明不要だが図表8のため書いてある）．//

⑤RSA暗号の暗号学上の構造

　前述のとおり素数乗算関数fは一方向関数の候補である．RSA暗号の暗号文から元の文章が判らないという暗号学上の性質は，この一方向性に大きく依存している．この点については文献([8][4]等)でよく説明されているので，本稿では触れる程度とする．

定理　素数乗算関数fが一方向関数でないならば，RSA暗号の暗号文Cから元の文章mを無視できない確率で求めることができる．
証明)fが一方向関数でないならば，無視できない確率でfの逆関数を実現する確率的多項式時間計算機械を構成することができる．構成された計算機械Mと書く．MにNを入力すると，Mは素因子p, qを，無視できない確率で出力する．拡張ユークリッド互除法(これは多項式時間)により $ed'+(p-1)(q-1)=1$ を満たす整数d'を得る．$m':=C^d$を計算すると(binary法)，$m'=m$である．//

　上述の定理は，暗号文から元の文章が判るための十分条件を示している．では，必要十分条件は何かというと，直接論じることになる．

　　暗号化関数の一方向性(RSA仮定)　RSA暗号の暗号化関数f_eは一方向関数と期待される．

　すなわち，$f(m)\stackrel{\text{def}}{=}m^e \bmod N$(defは左辺を右辺で定めるの意)が一方向であることを前提とした上で，RSA暗号の安全性が成り立っている．
　実は「暗号文から元の文章が判らない」という言い方と「暗号文から元の文章がちっとも判らない」という言い方を区別し使い分けてきた．暗号化関数の一方向性は前者の性質である．これに対し，より厳しい後者の性質が暗号学では追究されており，これを識別不可能性という[6]．

4.むすびの話

はじめの話，計算の話，暗号の話と進んできた本稿のむすびに，暗号学上の最新の動向と，高校生の方など若い人たちへぜひ頭の片隅に置いてほしいことを述べさせて頂きたい．

(1)暗号学上の最新の動向

計算能力をクラス分けし，多項式時間のクラスと指数時間のクラスに言及した．ここで，指数時間のクラスの計算機械はあたかも処理の遅い計算機械であるかのように説明した．ところが現在，指数時間の計算ステップを速い処理でこなすと期待される計算機の研究開発が進められている．これが量子計算機であり，入力データの長さが短いものに対しては実際に作られた．恐らく科学技術にとって量子計算機の研究開発の進展は喜ばしいことなのだが，暗号にとっては脅威である．これまで一方向関数と期待されていた素数乗算関数やRSA暗号化関数が一方向性でなくなる可能性が無視できないからである．

量子計算機の研究開発の進展に対し，暗号学者は耐量子暗号と呼ばれる暗号方式を作ろうと．数学上の構造の設計及び暗号学上の構造の解析に取り組んでいる．その様子を垣間見たい方はアメリカ国立標準技術研究所の次のwebサイトをご覧頂きたい．

NIST: National Institute of Standards and Technology

"Candidate Quantum-Resistant Cryptographic Algorithms Publicly Available"

https://www.nist.gov/news-events/news/2017/12/candidate-quantum-resistant-cryptographic-algorithms-publicly-available

(2)若い人たちへ

一人の人間が生涯にわたるような創造をする種は中学生から高校生の年齢の頃に宿ることが多いという説を興味深く読んだ([9])[7]．「面白いなあ」「不思議

だ」「腑に落ちない」などと感じたことがその種だということである．若い人たちは
ぜひ，その種に大切にし，進路に迷ったときなどに思い出してほしいし，20代30
代の方であれば，その種を大切に育ててほしいと思う．

　本稿では計算や暗号の面白いところをお伝えしたかったのだが，言葉通り筆
者の力量不足のため，目的がいくらかでも達成されたか甚だ心許ない．幸い，
別の言葉通り世の中は狭いものである．計算と暗号の練達の先生方に付いて学
ぶ機会を若い人たちが得た場合には，学会などでいずれお会いできるのではな
いかと密かに楽しみしている．

謝辞

　本稿の執筆に当たり下記の文献を参考にさせて頂きました．ここに感謝申し
上げます．

注

1 10^3つまり1,000をキロ(k)，10^6つまり1,000,000をメガ(M)，10^9つまり1,000,000,000をギガ(G)という．
2 キャッシュやDRAMなどのメモリも処理に必要だが，本稿では触れない．
3 換言すれば，百万倍早口でしゃべっているということである．
4 ただし，送ったデータを復元・認識するだけの鋭い観察眼・頭脳を必要とする．
5 必ずしも素数でなくてよいので紛らわしいが，後述のRSA暗号の暗号化・復号を論じる際の見やす
　さのためにこのように記す．
6 高校生の方はぜひ，本学で学んでいただきたい．
7 研究者・教育者の端くれの人間でも思い当たる節があったからである．

参考文献

[1] 小野測器，"音とそのセンサについて," [オンライン]．Available: https://www.onosokki.co.jp/
　　HP-WK/csupport/newreport/sound/soundsensor1.htm. [アクセス日: 30 8 2018].
[2] 木村英紀, フーリエ–ラプラス解析, 岩波書店, 2007.
[3] クロード・E.シャノン，ワレン・ウィーバ（著），植松友彦(訳)，通信の数学的理論，筑摩書房，
　　2009.
[4] 黒澤馨, 現代暗号への招待, サイエンス社, 2010.
[5] 松坂和夫, 集合・位相入門, 岩波書店, 1968.
[6] 松坂和夫, 代数系入門, 岩波書店, 1976.

[7] 海老原円, 代数学教本, 数学書房, 2017.

[8] 神永正博, 現代暗号入門 いかにして秘密は守られるのか, 講談社, 2017.

[9] 桐光学園中学校・高等学校, 学問のツバサ 2, 水曜社, 2009.

[10] 中西透, 現代暗号のしくみ ―共通鍵暗号,公開鍵暗号から高機能暗号まで, 共立出版, 2017.

付録　RSA署名

暗号学的ハッシュ関数($Hash$)については文献[8][4][10]などを参照頂きたい.

<u>RSA署名</u>　RSA署名は次の3つの多項式時間計算機械から成る.

KeyGen（鍵生成）

　　Input: 自然数 λ

　　Step 1: 2進数で λ 桁の素数p,qをランダムに生成する（Miller-Rabin素数生成法）

　　Step 2: $N:=pq$を計算する

　　Step 3: $1<e<(p$-$1)(q$-$1)$なる$(p$-$1)(q$-$1)$と互いに素な整数eをランダムに選ぶ

　　Step 4: $ed+(p$-$1)(q$-$1)y=1$の整数解(d, y)を求める（拡張ユークリッド互除法）

　　Step 5: 必要に応じdを$(p$-$1)(q$-$1)$で割った余りを改めてdとおく

　　Step 6: Return（pk:=(N,e),sk:=d）

Sig（署名）

　　Input: pk,sk,m（$m\in\{0,1\}^*$）

　　Step 1: $y:=Hash(m)$

　　Step 2: $\sigma:=y^d \mod N$ を計算する（binary法）

　　Step 3: Return σ

Vrf（検証）

　　Input: pk,m,σ（$\sigma\in\mathbb{Z}/N\mathbb{Z}$）

　　Step 1: y:=$Hash$(m)

　　Step 2: $\sigma^e=y \mod N$ が成り立つか検証する（binary法）

Step 3: 成り立てば Return 1，さもなくばReturn 0

　署名方式の安全性は一般に存在的偽造不可（existential unforgeability，略してEF）という性質で定義される．なお，CMA，EOF-CMA署名オラクル，ハッシュオラクル，及びランダムオラクルモデルについては文献[8][4][10]などを参照いただきたい．

<u>存在的偽造不可</u>　Aを任意の多項式時間計算機械とする（存在的偽造という攻撃をする）．次の手順 *Game* を実現する計算機械がWinを出力する確率が無視可能なとき，署名方式（KeyGen,Sig,Vrf）は存在的偽造不可（EF）の性質を持つという．

Game（λ）

（*pk*,*sk*）←KeyGen（λ）

（m*,σ*）←A（*pk*）$^{\text{Sig}(pk, sk, \cdot)}$

If Vrf（*pk*,m*,σ*）= 1　　　　　　　　　　　　　（図表9参照）

　　then Return（Win）

 else　　Return（Lose）

（ただし，*Game* における約束事：$m^* \notin \{m_1, \cdots, m_q\}$）

図表9　攻撃計算機械Aの署名オラクルへのアクセス

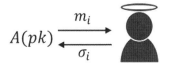

図表10　攻撃計算機械Aのハッシュオラクル及び署名オラクルへのアクセス

ハッシュオラクル　　　　　　　署名オラクル

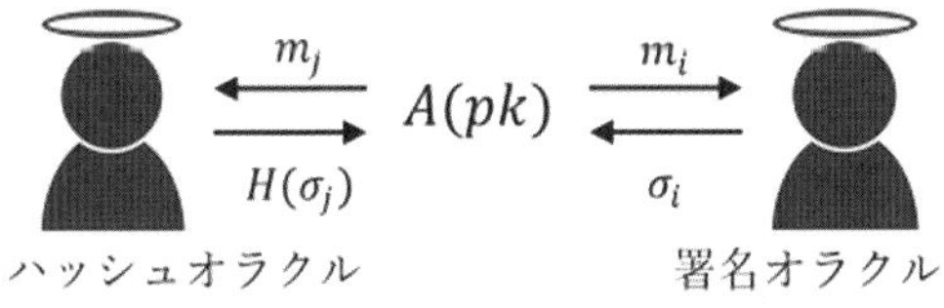

<u>定理</u>　RSA署名はランダムオラクルモデルにおいてRSA仮定の下でEFである.

(証明)RSA署名に対しCMAを実行しEFを確率 ε で生成する計算機械Aが任意に与えられたとする. Aをサブルーチンに用いRSA仮定を破る計算機械Bを構成する.

　Bは入力として(N, e, y)を受け取る. Bは$pk:=(N, e)$とおく. Aの発行する署名クエリ及びハッシュクエリの最大値をそれぞれq_s, q_Hとする. Bは$\{1, \cdots, q_s+q_H\}$の中から数字j^*を一様ランダムに選ぶ. Bは署名オラクル及びランダムオラクル(図表10)のシミュレートのためのテーブルTを用意する. Tはq_s+q_H+1行4列である(図表11). 第1列はクエリの発行番号, 第2列はメッセージmの値, 第3列は署名σの値, 第4列はmのハッシュ値$Hash(m)$の値を書き込むものとする. BはTの第j^*行に$(j^*,-,-,y)$を予め書き込む.

　BはpkをAに入力する.

(1)Aが署名オラクルへm_iについての署名クエリを発行したとき, Bは次のように署名オラクルをシミュレートする. $i=j^*$であればBは$\perp$を出力し終了する. $i\neq j^*$であればTの第i行を参照する. もし書き込みが有ればBはr_iをAへ答える. 無ければBは$r_i \in_R Z_N$を選び, r_iをAへ答え, $r_i^e \bmod N$を計算し, $(i, m_i, r_i, r_i^e \bmod N)$を$T$の第$i$行に書き込む.

(2)Aがランダムオラクルへm_jについてのハッシュクエリを発行したとき, Bは次のようにハッシュオラクルをシミュレートする. $j=j^*$であればBはm_j^*を第j^*行に書き込み, yをAへ答える. $j\neq j^*$であればTの第j行を参照する. もし書き込みが有ればBは$r_j^e \bmod N$をAへ答える. 無ければBは$r_j \in_R Z_N$を選び, $r_j^e \bmod N$を計算し, $r_j^e \bmod N$をAへ答え, $(j, m_j, r_j, r_j^e \bmod N)$を$T$の第$j$行に書き込む.

　AがEF:(m^*, σ^*)を出力したとき. Bは$x:=\sigma^*$を出力し終了する.

　上記のように構成したBは, AがPPTならば, PPTである.

　BがRSA仮定を破る確率は次のように求められる. まず, BのEFのメッセージm^*は確率$1/(q_s+q_H)$でm_j^*に一致する. なぜならAはm^*のハッシュ値を必ずクエリしなければならないから. 一致するとき, 確率 ε で$x=\sigma^*=y^{1/e}$である. よって,

BがRSA仮定を破る確率は $\varepsilon/(q_s+q_H)$ である.

　RSA仮定が成り立つならば，確率 $\varepsilon/(q_s+q_H)$ は無視可能である．$\varepsilon/(q_s+q_H)$ が無視可能ならば，ε も無視可能である．ε が無視可能ならば，RSA署名はEUF-CMA安全である. //

図表11　RSA仮定を破る計算機械B

量子ビットを用いた量子情報処理入門

情報セキュリティ学科　吉田　雅一

1.量子ビットを用いた量子情報処理へ向けて

　量子力学は，電子，原子，光子などの量子系で起こる物理現象を記述する現代物理学の基礎である．量子力学の対象は，電子，原子，光子など微視的な物理系である．そのため，我々が普段の生活の中で量子力学的な物理現象を実際に認識することはない．ただし，無意識に利用している．例えば，スマートフォンやパソコンなど，日常生活で必要不可欠な情報機器の使用時である．情報機器は電子回路で構成され，電子回路は物理的素子である半導体で構成されている．半導体は，量子力学的な物理現象を用いることで優れた性能を示し，情報機器を用いた情報処理(ある情報から有用な情報への変換)を支えている．

　このように，日常生活において我々は，量子力学の恩恵を知らず知らずのうちに受けている．しかし，用いられている量子力学的な物理現象は，特定の現象(例えばトンネル効果など)のみである．そのため，量子力学のより根底にある物理現象(例えば量子重ね合わせ，量子もつれ，測定による状態変化など)を，積極的に利用しているとは言えない．また，情報処理は，量子力学を念頭に置いているわけではない．つまり，量子力学があろうがなかろうが，情報処理を実現できる．このような情報処理を，従来の情報処理と呼ぶことにする．

　一方で，量子力学に従ういかなる物理現象も再現可能な情報機器が用意され，かつ量子力学に従う物理現象を情報処理へ活用できることを仮定して行う

情報処理を，量子情報処理と呼ぶことにする．このとき，量子力学が最も一般
的な物理学だと仮定するならば，量子情報処理は上記で挙げた従来の情報処
理を完全に含む．そのため，量子情報処理は従来の情報処理の上位に位置す
ると考えることができる．

図表1　量子情報処理

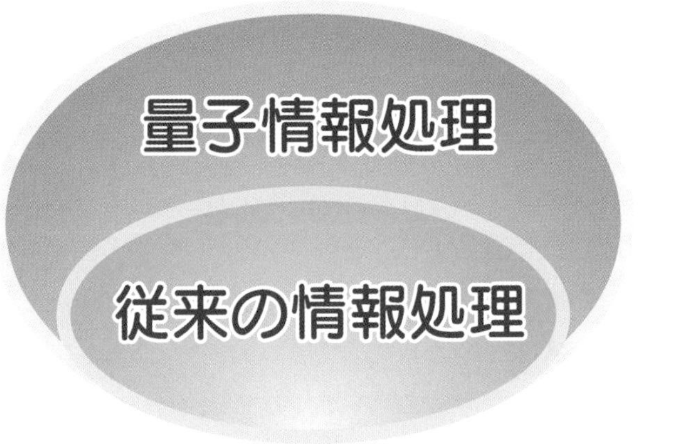

従来の情報処理では実現できず，かつ有用性がすでに示されている量子情
報処理の例として，量子計算，量子テレポーテーションが知られている．量子
重ね合わせおよび量子もつれを巧みに用いる量子計算により，超高速計算が可
能となることが指摘されている．実際に，既存のスーパーコンピューターを用い
ても現実的な時間内で解くことはできないが，量子計算により，瞬時に解くこと
ができる問題があることが知られている(例えば素因数分解)．また，量子テレポー
テーションを用いると，その名の通り，送信者から受信者へ量子系の状態(量子
状態)をテレポートさせることができる．

本稿では，量子ビット系と呼ばれる量子系に限定した量子情報処理の基礎
を説明し，量子情報処理の具体例として量子暗号と超高密度符号を説明する．
後で詳細は説明するが，量子暗号は，第三者による盗聴を一切許すことなく，
送信者と受信者の秘匿通信を可能とする技術である．また，超高密度符号は，
2ビットの情報(00, 01, 10, 11のいずれか)の伝送を1量子ビット系の伝送で実現する技

術である.

　本来，量子情報処理を学ぶためには，量子力学および線形代数，確率論，代数学などの数学の知識が必要となる．しかし，本稿を理解するためには，まずは複素数と初等的な確率の知識のみで十分である．それらを出発点として内容を順番に説明していく．そのため，一行一行を丁寧に読み進めることをおすすめする．とくに，量子情報処理に限らず数学，応用数学，数理科学などを志す高校生には，定義や公理または仮定として認めて読み進めてよいことなのか，またはそれらから導かれ証明されることなのかを，区別して読んでもらいたい．後者に関しては，本稿に限らないが，例えば"AならばB，BならばC，．．．，YならばZ，よってAならばZが成り立つ"と説明すべきことを，"AならばZが成り立つ"と主張して論理の飛躍を許している場合がある．このときには，時間をたっぷりかけて，"AならばZが成り立つ"という主張の間にある論理を埋めてもらいたい．ただし，本稿において(＊)がついた箇所は，本稿で説明する知識のみでは証明できないこともしくは量子力学の公理や実験的に示されている事実である．そのため，(＊)がついた箇所は認めて読み進めるか，下記に挙げる参考図書を読み，必要な知識を得た後に再度読み返してもらいたい．

- 石坂智，小川朋宏，河内 亮周，木村元，林正人，量子情報科学入門，共立出版，2012年.

- M. A. Nielsen and I. L. Chuang, Quantum Computation and Quantum Information: 10th Anniversary Edition, Cambridge University Press, 2010.

　また，本稿で紹介する量子暗号と超高密度符号は，それぞれ次の論文で提案されている．

- C. H. Bennett and G. Brassard, "Quantum cryptography: Public key distribution and coin tossing," Proceedings of IEEE International Conference on Computers Systems and Signal Processing, pp. 175-179, 1984.

- C. H. Bennett and S. J. Wiesner, "Communication via one- and two-particle operators on Einstein-Podolsky-Rosen states," Physical Review Letters, 69, 2881, 1992.

　本稿の構成は次の通りである．まず2節では，数学的な準備としてベクトルと行列をかいつまんで紹介する．とくに量子力学におけるベクトルの独特な表記に慣れるとよい．次の3節では，量子系，測定，時間発展などの量子情報処理の基礎を量子ビットに限定して説明する．4節では，量子ビットを用いた量子情報処理の具体例として，量子暗号と超高密度符号について説明する．

2.ベクトルと行列の基礎
(1)ベクトルについて

　複素数a_1, a_2, $\cdots$, a_nを，

$$\begin{pmatrix} a_1 \\ \vdots \\ a_n \end{pmatrix}$$

という表記で縦に並べたものをn次元列ベクトルという．混乱が生じない場合には，n次元列ベクトルを単にベクトルと呼ぶことにする．量子情報処理では，ベクトルψを$|\rangle$を用いて$|\psi\rangle$と表す．また，スペースの都合上，ベクトル$|\psi\rangle = \begin{pmatrix} a_1 \\ \vdots \\ a_n \end{pmatrix}$を$|\psi\rangle$ $=(a_1, a_2, \cdots, a_n)^T$と表すこともある．

　ベクトル$|\psi\rangle = (a_1, a_2, \cdots, a_n)^T$とベクトル$|\phi\rangle = (b_1, b_2, \cdots, b_n)^T$に対して，

$$|\psi\rangle + |\phi\rangle = |\psi + \phi\rangle := (a_1+b_1, a_2+b_2, \cdots, a_n+b_n)^T$$

と定義する．ただし，:=は:=の左を:=の右により定義することを意味する．また，複素数aとベクトル$|\psi\rangle$に対して，

$$a|\psi\rangle = |a\psi\rangle : (aa_1, aa_2, \cdots, aa_n)^T$$

と定義する．ベクトルの定義より$|\psi\rangle + |\phi\rangle$および$a|\psi\rangle$はベクトルである．

　ベクトル$|\psi\rangle = (a_1, a_2, \cdots, a_n)^T$とベクトル$|\phi\rangle = (b_1, b_2, \cdots, b_n)^T$の内積を，

$$\langle \psi | \phi \rangle := \sum_{i=1}^{n} \overline{a_i} b_i$$

と定義する. ただし, $\overline{a_i}$は複素数a_iの複素共役である.

内積の定義より, 次が成り立つ:

i. $\langle \psi | \psi \rangle \geq 0$であり, 等号成立は$|\psi\rangle = (0, 0, \cdots, 0)^T$のとき, またそのときに限る.

ii. $\langle \psi | \phi \rangle = \overline{\langle \phi | \psi \rangle}$ が成り立つ.

iii. $\langle \psi | a\phi_1 + b\phi_2 \rangle = a\langle \psi | \phi_1 \rangle + b\langle \psi | \phi_2 \rangle$が成り立つ.

ただし, $|\psi\rangle$, $|\phi\rangle$, $|\phi_1\rangle$, $|\phi_2\rangle$はベクトルであり, a, bは複素数である. また, $\langle a\psi | \phi \rangle = \overline{\langle \phi | a\psi \rangle} = \overline{a}\,\overline{\langle \phi | \psi \rangle} = \overline{a}\langle \psi | \phi \rangle$が成り立つ.

ここで, 内積を用いて$|\psi\rangle = (a_1, a_2, \cdots, a_n)^T$のノルムを,

$$\| \psi \| := \sqrt{\langle \psi | \psi \rangle}$$

と定義する. また, ノルムが1であるベクトルを単位ベクトルという.

(2) 行列について

複素数a_{ij}(ただし$i, j = 1, 2, \cdots, n$)を

$$\begin{pmatrix} a_{11} & \cdots & a_{1n} \\ \vdots & \ddots & \vdots \\ a_{n1} & \cdots & a_{nn} \end{pmatrix}$$

という表記で並べたものをn行n列の行列という. 混乱が生じない場合, n行n列の行列を単に行列と呼ぶことにする. また, スペースの都合上, 行列 $A = \begin{pmatrix} a_{11} & \cdots & a_{1n} \\ \vdots & \ddots & \vdots \\ a_{n1} & \cdots & a_{nn} \end{pmatrix}$を$A = [a_{ij}]_{i,j}$と表すこともある.

行列$A = [a_{ij}]_{i,j}$と行列$B = [b_{ij}]_{i,j}$および複素数aに対して,

$$A + B := [a_{ij} + b_{ij}]_{i,j}$$

$$AB := \left[\sum_{k=1}^{n} a_{ik} b_{kj} \right]_{i,j}$$

$$aA := [a a_{ij}]_{i,j}$$

と定義する. 行列の定義より$A+B$, ABおよびaAは行列となる.

n次元ベクトル$|\psi\rangle=(a_1, a_2, \cdots, a_n)^T$と$n$行$n$列の行列$A=[a_{ij}]_{i,j}$に対して,

$$A|\psi\rangle=|A\psi\rangle:=\left(\sum_{j=1}^{n}a_{1j}a_j, \sum_{j=1}^{n}a_{2j}a_j, \dots, \sum_{j=1}^{n}a_{2j}a_j\right)^T$$

と定義する. このとき,

$$A|a\phi_1+b\phi_2\rangle=aA|\phi_1\rangle+bA|\phi_2\rangle$$

が成り立つ. また, ベクトルの定義より$A|\psi\rangle$および$A|a\phi_1+b\phi_2\rangle$はベクトルである.

後で述べる量子情報処理ではユニタリ行列を用いる. 行列$U=[u_{ij}]_{i,j}$がユニタリ行列であるとは,

$$UU^{\dagger}=I$$

を満たすことである. ただし, $U=[u_{ij}]_{i,j}$に対して$U^{\dagger}:=\left[\widehat{u_{ij}}:=\overline{u_{ji}}\right]_{i,j}$である(つまり$U^{\dagger}$は, Uにおいてu_{ij}とu_{ji}を入れ替え複素共役をとった行列である). また, $I=[t_{ij}]_{ij}$は, 任意のiに対して$t_{ii}=1$であり, 任意の相異なるi, jに対して$t_{ij}=0$である行列であり, 単位行列という.

(3)テンソル積について

まずはベクトルのテンソル積を説明する. ベクトル$|\psi\rangle=(a_1, a_2, \cdots, a_n)^T$とベクトル$|\phi\rangle=(b_1, b_2, \cdots, b_n)^T$のテンソル積を,

$$|\psi\rangle\otimes|\phi\rangle=|\psi\otimes\phi\rangle:=(a_1b_1, a_1b_2, \cdots, a_1b_n, a_2b_1, a_2b_2, \cdots, a_2b_n, \cdots, a_nb_1, a_nb_2, \cdots, a_nb_n)^T$$

で定義する. このとき, $|\psi\rangle\otimes|\phi\rangle$は$n^2$次元列ベクトルとなる. ベクトルのテンソル積に関して次が成り立つ:

ⅰ. $a|\psi\otimes\phi\rangle=a|\psi\rangle\otimes|\phi\rangle=|\psi\rangle\otimes a|\phi\rangle$が成り立つ. ただし$a$は複素数である.

ⅱ. $|\psi+\phi\rangle\otimes|\eta\rangle=|\psi\rangle\otimes|\eta\rangle+|\phi\rangle\otimes|\eta\rangle$が成り立つ.

ⅲ. $|\eta\rangle\otimes|\psi+\phi\rangle=|\eta\rangle\otimes|\psi\rangle+|\eta\rangle\otimes|\phi\rangle$が成り立つ.

ⅳ. $\langle\psi\otimes\phi|\psi'\otimes\phi'\rangle=\langle\psi|\psi'\rangle\langle\phi|\phi'\rangle$が成り立つ.

次に行列のテンソル積を説明する. 行列$A=[a_{ij}]_{i,j}$と$B=[b_{ij}]_{ij}$のテンソル積を,

$$A \otimes B := \begin{pmatrix} a_{11}B & \cdots & a_{1n}B \\ \vdots & \ddots & \vdots \\ a_{n1}B & \cdots & a_{nn}B \end{pmatrix}$$

と定義する．ただし$a_{ij}B$の箇所には，行列$a_{ij}B$を複素数を並べて具体的に書き下したときに（　）を外した部分をそのまま書き写せばよい．このとき，$A \otimes B$はn^2行n^2列の行列となる．また，行列A, Bとベクトル$|\psi\rangle, |\phi\rangle$に対して，

$$A \otimes B |\psi \otimes \phi\rangle = |A\psi \otimes B\phi\rangle = A|\psi\rangle \otimes B|\phi\rangle$$

が成り立つ．

3.量子ビットを用いた量子情報処理の基礎

（1）量子ビットについて

　物理量の測定を行ったときに，二値のうちいずれかをある確率に従い測定値として得る量子系（原子，電子，光子など）を，量子ビット系と呼ぶ．また，量子ビット系の状態を量子ビットと呼ぶ．量子ビットは，2次元単位ベクトル（2次元列ベクトルであり単位ベクトル）により表現される（＊）．量子ビット

$$|\psi\rangle = \begin{pmatrix} a \\ b \end{pmatrix}$$

は単位ベクトルなので，$\| \psi \| = \sqrt{\langle \psi | \psi \rangle} = \sqrt{\bar{a}a + \bar{b}b} = \sqrt{|a|^2 + |b|^2}$より，$|a|^2 + |b|^2 = 1$が成り立つ．ただし，$|k| := \sqrt{k\bar{k}}$は複素数$k$の絶対値である．量子情報処理では，よく量子ビットと2次元単位ベクトルを同一視する（＊）．つまり，量子ビットとは2次元単位ベクトルであり，2次元単位ベクトルは量子ビットであると考える．

図表2　量子ビット

$$\Longleftrightarrow |\Psi\rangle = \begin{pmatrix} a \\ b \end{pmatrix} \quad (|a|^2 + |b|^2 = 1)$$

　代表的な量子ビットとして，$|0\rangle$および$|1\rangle$を

$$|0\rangle := \begin{pmatrix} 1 \\ 0 \end{pmatrix}, |1\rangle := \begin{pmatrix} 0 \\ 1 \end{pmatrix}$$

と定義する（量子ビット系が光子ならば，それぞれ0度の偏向と90度の偏向に対応（＊））．このと

き，任意の量子ビット$|\psi\rangle-(a, b)^T(|a|^2+|b|^2-1)$は$a|0\rangle+b|1\rangle$と表される．実際に，

$$|\psi\rangle = \binom{a}{b} = \binom{a}{0} + \binom{0}{b} = a\binom{1}{0} + b\binom{0}{1} = a|0\rangle + b|1\rangle$$

が成り立つ．とくに，量子ビット$|\psi\rangle=(a,\ b)^T$を$a|0\rangle+b|1\rangle$と表すとき，$|\psi\rangle$は$|0\rangle$と$|1\rangle$の重ね合わせの量子ビットであるという．代表的な$|0\rangle$と$|1\rangle$の重ね合わせの量子ビットとして，$|+\rangle$および$|-\rangle$を

$$|+\rangle := \frac{1}{\sqrt{2}}|0\rangle + \frac{1}{\sqrt{2}}|1\rangle,\ |-\rangle =: \frac{1}{\sqrt{2}}|0\rangle - \frac{1}{\sqrt{2}}|1\rangle$$

と定義する（量子ビット系が光子ならば，それぞれ45度の偏向と135度の偏向に対応（＊））．ここで，$|0\rangle$と$|1\rangle$の組をZ基底，$|+\rangle$と$|-\rangle$の組をX基底と呼ぶことにする．X基底の量子ビットは，定義よりZ基底の量子ビットの重ね合わせの量子ビットである．また，Z基底の量子ビットは，X基底の量子ビットを用いて$|0\rangle = \frac{1}{\sqrt{2}}|+\rangle + \frac{1}{\sqrt{2}}|-\rangle, |1\rangle = \frac{1}{\sqrt{2}}|+\rangle - \frac{1}{\sqrt{2}}|-\rangle$と表すことができる．ここで，$Z$基底と$X$基底の量子ビットの数学的な特徴として次が成り立つ：

$$|\langle 0|0\rangle|^2 = |\langle 1|1\rangle|^2 = |\langle +|+\rangle|^2 = |\langle -|-\rangle|^2 = 1,$$
$$|\langle 0|1\rangle|^2 = |\langle 1|0\rangle|^2 = |\langle +|-\rangle|^2 = |\langle -|+\rangle|^2 = 0,$$
$$|\langle 0|+\rangle|^2 = |\langle +|0\rangle|^2 = |\langle 0|-\rangle|^2 = |\langle -|0\rangle|^2$$
$$= |\langle 1|+\rangle|^2 = |\langle +|1\rangle|^2 = |\langle 1|-\rangle|^2 = |\langle -|1\rangle|^2$$
$$= \frac{1}{2}.$$

図表3　量子ビットの組

（2）測定について

量子情報処理における測定として，ここではZ基底およびX基底による射影

測定にのみ着目する．まずは，量子ビット$|\psi\rangle$（である量子ビット系）でZ基底による射影測定を行うことを考えよう．このとき，測定値として0または1を得る（＊）．ただし，測定値0を得る確率は

$$p(Z=0|\psi)=|\langle 0|\psi\rangle|^2$$

であり，測定値1を得る確率は

$$p(Z=1|\psi)=|\langle 1|\psi\rangle|^2$$

である（＊）．とくに，測定対象の量子ビットが$|\psi\rangle=a|0\rangle+b|1\rangle$（$|a|^2+|b|^2=1$）であるとき，

$$p(Z=0|\psi)=|\langle 0|\psi\rangle|^2=|a|^2,p(Z=1|\psi)=|\langle 1|\psi\rangle|^2=|b|^2$$

が成り立つ．次に，量子ビット$|\psi\rangle$でX基底による射影測定を行うことを考えよう．このとき，測定値として0または1を得る（＊）．ただし，測定値0を得る確率は

$$p(X=0|\psi)=|\langle +|\psi\rangle|^2$$

であり，測定値1を得る確率は

$$p(X=1|\psi)=|\langle -|\psi\rangle|^2$$

である（＊）．

図表4　射影測定

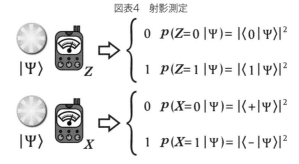

一般的に量子ビットは測定により変化する（＊）．ここでは，Z基底およびX基底による射影測定による量子ビットの変化を説明する．いま，量子ビット$|\psi\rangle$でZ基底による射影測定を行ったとしよう．このとき，測定値0を得たならば測定後の量子ビットは$|0\rangle$となり，測定値1を得たならば測定後の量子ビットは$|1\rangle$となる（＊）．一方で，量子ビット$|\psi\rangle$でX基底による射影測定を行った場合には，測

定値0を得たならば$|+\rangle$となり，測定値1を得たならば$|-\rangle$となる（＊）．

図表5　測定後の量子ビット

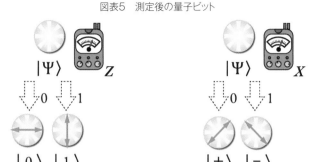

　特徴的な場合を考えよう．Z基底の量子ビット$|0\rangle$でZ基底の射影測定を行うとき，測定値0および1を得る確率はそれぞれ$p(Z=0|0)=|\langle 0|0\rangle|^2=1$と$p(Z=1|0)=|\langle 1|0\rangle|^2=0$である．よって，必ず測定値0を得る．また，$Z$基底の量子ビット$|1\rangle$で$Z$基底の射影測定を行うとき，測定値0および1を得る確率はそれぞれ$p(Z=0|1)=|\langle 0|1\rangle|^2=0$と$p(Z=1|1)=|\langle 1|1\rangle|^2=1$である．よって，必ず測定値1を得る．よって，$Z$基底の量子ビットは$Z$基底の射影測定に識別することができる．つまり，$|0\rangle$か$|1\rangle$である測定対象の量子ビット$|\psi\rangle$が与えられたとき，$Z$基底の射影測定を行い測定値0を得るならば$|\psi\rangle=|0\rangle$であるし，測定値1を得るならば$|\psi\rangle=|1\rangle$である．

　X基底の量子ビット$|+\rangle$でX基底の射影測定を行うとき，測定値0および1を得る確率はそれぞれ$p(X=0|+)=|\langle +|+\rangle|^2=1$と$p(X=1|+)=|\langle -|+\rangle|^2=0$である．また，量子ビット$|-\rangle$で$X$基底の射影測定を行うとき，測定値0および1を得る確率はそれぞれ$p(X=0|-)=|\langle +|-\rangle|^2=0$と$p(X=1|-)=|\langle -|-\rangle|^2=1$である．よって，$X$基底の量子ビットは$X$基底の射影測定に識別することができる．つまり，$|+\rangle$か$|-\rangle$である測定対象の量子ビット$|\psi\rangle$が与えられたとき，$X$基底の射影測定を行い測定値0を得るならば$|\psi\rangle=|+\rangle$であるし，測定値1を得るならば$|\psi\rangle=|-\rangle$である．

　次に，量子ビットの基底と測定の基底が異なる場合を考えよう．Z基底の量子

ビット$|0\rangle$でX基底の射影測定を行うとき，測定値0および1を得る確率はそれぞれ$p(X{=}0|0)=|\langle+|0\rangle|^2=1/2$と$p(X{=}1|0)=|\langle-|0\rangle|^2=1/2$である．一方で量子ビットが$|1\rangle$であるときには，それぞれ$p(X{=}0|1)=|\langle+|1\rangle|^2=1/2$と$p(X{=}1|1)=|\langle-|1\rangle|^2=1/2$である．つまり，$Z$基底の量子ビットで$X$基底の射影測定を行うと，測定値は完全にランダムに決まる．よって，X基底の射影測定では，Z基底の量子ビット$|0\rangle$と$|1\rangle$を確率1で識別することはできない．

同様に，X基底の量子ビット$|+\rangle$でZ基底の射影測定を行うことを考えよう．このとき，$p(Z{=}0|+)=|\langle0|+\rangle|^2=1/2$および$p(Z{=}1|+)=|\langle1|+\rangle|^2=1/2$を得る．一方で量子ビットが$|-\rangle$であるとき，$p(Z{=}0|-)=|\langle0|-\rangle|^2=1/2$および$p(Z{=}1|-)=|\langle1|-\rangle|^2=1/2$を得る．つまり，$X$基底の量子ビットで$Z$基底の射影測定を行うときも，測定値は完全にランダムに決まる．よって，Z基底の射影測定では，X基底の量子ビット$|+\rangle$と$|-\rangle$を確率1で識別することはできない．

図表6　射影測定を用いた量子ビットの識別(1)

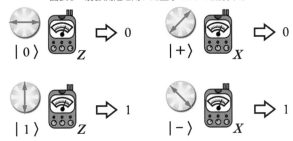

図表7　射影測定を用いた量子ビットの識別(2)

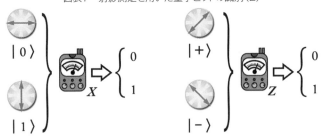

（3）時間発展について

　一般的に量子ビットは変化し（＊），その量子ビットの変化を時間発展という．量子ビット$|\psi\rangle$から$|\psi'\rangle$へと時間発展はユニタリ行列Uを用いて

$$|\psi'\rangle = U|\psi\rangle$$

により表現される（＊）．さらに量子情報処理では，任意のユニタリ行列Uによる$|\psi\rangle$から$U|\psi\rangle$への時間発展が実現可能であることを要請する．

図表8　時間発展

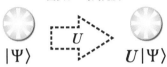

　代表的なユニタリ行列として，

$$X := \begin{pmatrix} 0 & 1 \\ 1 & 0 \end{pmatrix}, Y := \begin{pmatrix} 0 & -i \\ i & 0 \end{pmatrix}, Z := \begin{pmatrix} 1 & 0 \\ 0 & -1 \end{pmatrix}, I = \begin{pmatrix} 1 & 0 \\ 0 & 1 \end{pmatrix}$$

がある．ただし，iは虚数単位である．例えば，量子ビット$|0\rangle$または$|1\rangle$をX，Y，Z，Iにより時間発展させると，それぞれ

$$X|0\rangle = |1\rangle, X|1\rangle = |0\rangle,$$
$$Y|0\rangle = i|1\rangle, Y|1\rangle = -i|0\rangle,$$
$$Z|0\rangle = |0\rangle, Z|1\rangle = -|1\rangle,$$
$$I|0\rangle = |0\rangle, I|1\rangle = |1\rangle,$$

となる．

（4）2量子ビットの量子情報処理の基礎について

　一般的に量子情報処理では，1つの量子ビット系のみを扱うわけではなく複数の量子ビット系を扱う．ここからは，2つの量子ビット系（量子ビット系Aと量子ビット系B）に限定し，それらの量子ビット系からなる量子系の量子状態である2量子ビットの記述の仕方および時間発展について説明する（測定に関しては，後でBell測定を説明する）．

図表9　量子ビット系Aと量子ビット系B

量子ビット系A　　量子ビット系B

　一般的に2量子ビットは，

$$a_{00}|0\rangle\otimes|0\rangle + a_{01}|0\rangle\otimes|1\rangle + a_{10}|1\rangle\otimes|0\rangle + a_{11}|1\rangle\otimes|1\rangle$$

で表現される（＊）．ただし，a_{00}, a_{01}, a_{10}, a_{11}は$|a_{00}|^2 + |a_{01}|^2 + |a_{10}|^2 + |a_{11}|^2 = 1$
を満たす複素数である．とくに2量子ビットが$|\psi\rangle\otimes|\phi\rangle$（$|\psi\rangle$, $|\phi\rangle$はそれぞれ量子ビット）
で表されるとき，量子ビット系Aの量子ビットは$|\psi\rangle$であり，量子ビット系Bの量子
ビットは$|\phi\rangle$である（＊）．

図表10　2量子ビット

　次に，時間発展について説明する．2量子ビット$|\Psi\rangle$から$|\Psi'\rangle$へと時間発展は，
4行4列のユニタリ行列Uを用いて

$$|\Psi'\rangle = U|\Psi\rangle$$

により表現される（＊）．また，任意の4行4列のユニタリ行列Uによる$|\Psi\rangle$から
$U|\Psi\rangle$への時間発展が実現可能であることも要請する．

図表11　2量子ビットの時間発展

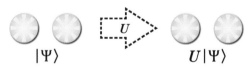

　ここで，特徴的な例を挙げる．U_1とU_2を2行2列のユニタリ行列とすると，
$U_1\otimes U_2$は4行4列のユニタリ行列となる．このとき，$U_1\otimes U_2$による2量子ビットの
時間発展は，量子ビット系Aの量子ビットをU_1で，量子ビット系Bの量子ビット
をU_2で時間発展させることを意味する（＊）．一般的に2量子ビット$|\Omega\rangle = a_{00}|0\rangle$

$\otimes|0\rangle+a_{01}|0\rangle\otimes|1\rangle+a_{10}|1\rangle\otimes|0\rangle+a_{11}|1\rangle\otimes|1\rangle$を$U_1\otimes U_2$により時間発展させた後の2量子ビットは

$$U_1\otimes U_2|\Omega\rangle=a_{00}U_1|0\rangle\otimes U_2|0\rangle+a_{01}U_1|0\rangle\otimes U_2|1\rangle$$
$$+a_{10}U_1|1\rangle\otimes U_2|0\rangle+a_{11}U_1|1\rangle\otimes U_2|1\rangle$$

となる.

図表12　個別の時間発展

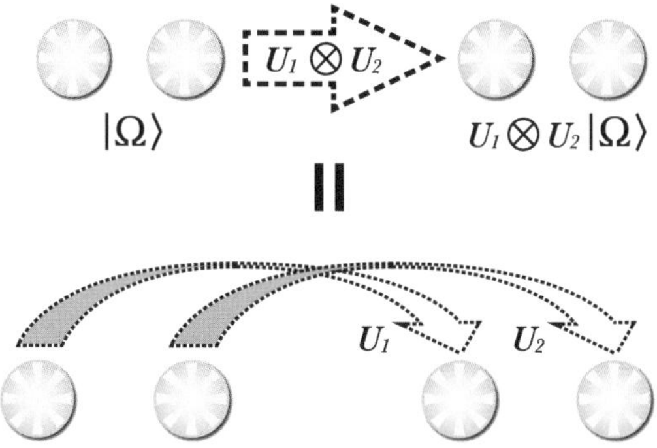

4.量子ビットを用いた量子情報処理

(1)量子暗号について

①One time pad暗号と量子鍵配送

　量子ビットを用いた量子情報処理の例として, 量子暗号を説明する. 量子暗号は, 暗号方式の一つであるone time pad暗号と量子鍵配送の組み合わせである.

　まずは, one time pad暗号について説明する. 一般的に暗号は, 暗号化アルゴリズムと復号アルゴリズムにより定義される. One time pad暗号における暗号化アルゴリズムは, 平文(nビット列:$P=p_1p_2\cdots p_n$, ただしp_iは0または1)と共通鍵(乱数列:$S=s_1s_2\cdots s_n$, ただし, 確率1/2で$s_i=0$であり, 確率1/2で$s_i=1$)を入力として, 暗号文(nビット列:$C=c_1c_2\cdots c_n$, ただし$c_i:=p_i\oplus s_i$であり, $0\oplus0:=0$, $0\oplus1:=1$, $1\oplus0:=1$, $1\oplus1:=0$)を出力する. ここで, 暗号化アルゴリズムにより, 平文と共通鍵から暗号文を得ることを暗号化

という.

　一方で復号アルゴリズムは，暗号文Cと共通鍵Sを入力として，$P'=p'_1p'_2\cdots p'_n$（ただし$p'_i:=c_i\oplus s_i$）を出力する．このとき，$c_i\oplus s_i=(p_i\oplus s_i)\oplus s_i=p_i\oplus(s_i\oplus s_i)=p_i\oplus0=p_i$より$P'=P$が成り立つ．よって，出力は平文となる．ここで，復号アルゴリズムにより，暗号文と共通鍵から平文を得ることを復号という.

　送信者と受信者を登場人物としたときのone time pad暗号の一般的な利用方法を説明する．まず送信者は，受信者に送りたい平文を暗号化アルゴリズムにより暗号化し暗号文を得る．そして，暗号文を受信者へ送信する．受信者は暗号文を受け取ると，復号アルゴリズムを用いて，暗号文を平文に復号する.

図表13　One time pad暗号

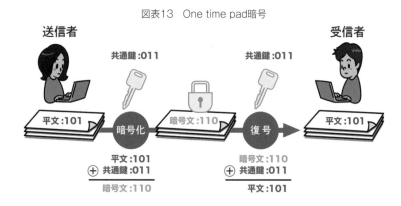

　共通鍵が乱数列であり，一度使った共通鍵を使いまわししないならば，one time pad暗号により暗号化された暗号文のみから平文の情報を得ることは不可能であることが知られている（＊）．つまり，悪意ある盗聴者は，送信者が送った暗号文を得たとしても，その暗号文のみから平文の情報を得ることはできない．ただし，盗聴者が共通鍵を所持していたときには，その共通鍵と送信者から得た暗号文から平文を得ることができる．そのため，送信者と受信者はone time pad暗号を利用する前に，共通鍵となる使い捨ての乱数列を盗聴者には秘密にして共有する必要がある．この問題を鍵共有問題という.

　この鍵共有問題を解決し，送信者と受信者が使い捨ての乱数列を共有す

る方法が量子鍵配送である．量子鍵配送には様々な方式があるが，ここでは
BB84と呼ばれる方式を説明する．BB84を使用するには，送信者と受信者の間
に一般の公衆通信路(広く使用されているインターネット回線で十分である)と量子ビット系
を送信するための量子通信路を整備する必要がある．その上で，送信者と受信
者は次を順番に行う．

i 送信者は乱数列$R=r_1r_2\cdots r_m$と$O_A=a_1a_2\cdots a_m$(ただし，確率1/2で$a_i=Z$であ
り，確率1/2で$a_i=X$である)を準備する．次に，m個の量子ビット系の各量
子ビットを$|\phi_1\rangle$, $|\phi_2\rangle$, $\cdots$, $|\phi_m\rangle$に準備する．ただし，$a_i=Z$かつ$r_i=0$ならばZ基
底の量子ビット$|\phi_i\rangle=|0\rangle$，$a_i=Z$かつ$r_i=1$ならばZ基底の量子ビット$|\phi_i\rangle=|1\rangle$，
$a_i=X$かつ$r_i=0$ならばX基底の量子ビット$|\phi_i\rangle=|+\rangle$，$a_i=X$かつ$r_i=1$ならばX
基底の量子ビット$|\phi_i\rangle=|-\rangle$を準備する．その後，$|\phi_1\rangle$である量子ビット系か
ら順番に量子通信路を用いて受信者へ送信する．

図表14　量子ビットの準備の仕方

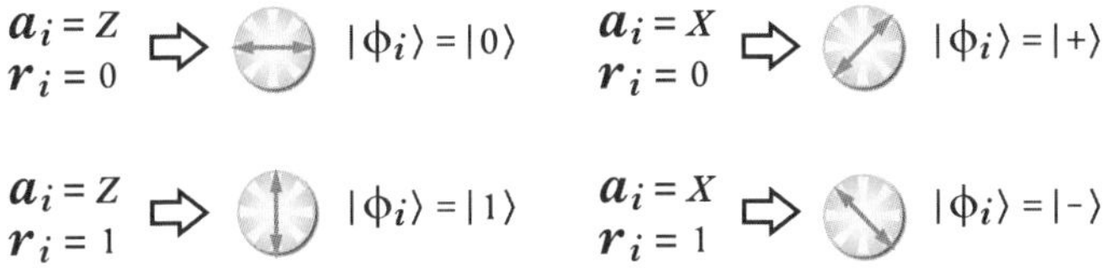

$a_i=Z$
$r_i=0$ ⇨ ◯ $|\phi_i\rangle=|0\rangle$　　$a_i=X$
$r_i=0$ ⇨ ◯ $|\phi_i\rangle=|+\rangle$

$a_i=Z$
$r_i=1$ ⇨ ◯ $|\phi_i\rangle=|1\rangle$　　$a_i=X$
$r_i=1$ ⇨ ◯ $|\phi_i\rangle=|-\rangle$

ii 受信者は$O_B=b_1b_2\cdots b_m$(ただし，確率1/2で$b_i=Z$であり，確率1/2で$b_i=X$である)を準
備しておく．そして，送信者から送られてきた量子ビット$|\phi_i\rangle$である量子ビッ
ト系を測定し測定値r'_iを得る．このとき，$b_i=Z$ならばZ基底の射影測定を
行い，$b_i=X$ならばX基底の射影測定を行う．そのため，測定値は$r'_i=0$また
は$r'_i=1$である．送信者から送られてきた全ての量子ビット系を同様の手順
で測定し，受信者は測定値の列$R'=r'_1 r'_2\cdots r'_m$を得る．

図表15　量子ビット系の測定の選択

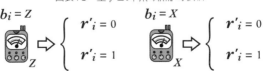

$b_i=Z$ ⇨ $\begin{cases} r'_i=0 \\ r'_i=1 \end{cases}$　　$b_i=X$ ⇨ $\begin{cases} r'_i=0 \\ r'_i=1 \end{cases}$

iii 送信者と受信者は公衆通信路を用いて，O_AとO_Bを交換する．そして，$a_i \neq b_i$ならば（つまり基底の種類が異なるならば），送信者はr_iを，受信者はr'_iを破棄する．このとき，破棄されずに残った送信者と受信者が持つ乱数列をそれぞれ$\hat{R} = \hat{r_1}\hat{r_2}...\hat{r_k}$と$\hat{R'} = \hat{r'_1}\hat{r'_2}...\hat{r'_k}$とする．

図表16　基底の種類のチェック

i	1	2	3	4	5	6	7	$\cdots$	m-1	m-2	m
r_i	1	0	1	1	0	1	1	$\cdots$	0	0	0
a_i	X	X	Z	Z	Z	X	Z	$\cdots$	Z	Z	X
$\lvert \phi_i \rangle$								$\cdots$			
b_i	X	Z	X	X	Z	Z	Z	$\cdots$	Z	X	X
r'_i	1	0	1	1	0	0	1	$\cdots$	0	1	0

$\Downarrow$

j	1	-	-	-	2	-	3	$\cdots$	k-1	-	k
$\widehat{r_j}$	1				0		1	$\cdots$	0		0
$\widehat{r'_j}$	1				0		0	$\cdots$	0		0

iv 送信者は乱数列$E = e_1 e_2 \cdots e_k$を準備する．そして受信者へ，Eおよび$e_j = 1$を満たす$\widehat{r_j}$を公衆通信路を用いて送信する．受信者はEを確認し，$e_j = 1$となる$\widehat{r'_j}$を選ぶ．そして，誤り率$\varepsilon := \#e/\#E$を計算する．ただし，$\#e$は$e_j = 1$かつ$\widehat{r_j} = \widehat{r'_j}$となる$j$の個数であり，$\#E$は$e_j = 1$となる$j$の個数である．$\varepsilon$があらかじめ決めておいた閾値$\kappa$以下ならば，送信者と受信者は$e_j = 0$となる$\widehat{r_j}$と$\widehat{r'_j}$をそれぞれの共通鍵とする．$\varepsilon$が$\kappa$より大きい場合には，盗聴があったとして上記の手順を最初からやり直す．

図表17　誤り率の計算と共通鍵

j	1	-	-	-	2	-	3	$\cdots$	$k\text{-}1$	-	k
e_j	1				1		0	$\cdots$	0		0
$\widehat{r_j}$	1				0		1	$\cdots$	0		0
$\widehat{r'_j}$	1				0		1	$\cdots$	0		0

$\Downarrow$

t	-	-	-	-	-	-	1	$\cdots$	$n\text{-}1$	-	n
s_t							1	$\cdots$	0		0

　上記のBB84の手順を総括しておく．まず，送信者は乱数列に従いX基底もしくはZ基底の量子ビットに準備された量子ビット系を受信者へ送る．受信者は量子ビット系を受け取り，X基底もしくはZ基底の測定を行い測定値を得る．その後，送信者と受信者は基底の確認を行い，基底が一致しない箇所の乱数列の要素および測定値を破棄する．そして，破棄することなく残った箇所の一部を用いて誤り率を計算し，その誤り率を用いて盗聴検知を行う．このとき，誤り率があらかじめ決めておいた閾値より大きいならば，盗聴があったと判断して最初からやり直す．一方で誤り率があらかじめ決めておいた閾値以下ならば，誤り率の計算に用いなかった乱数列お要素および測定値を共通鍵として共有する．

②量子暗号における盗聴検知について

　盗聴検知の有用性について検討しよう．一般的には，上記のBB84の手順に加えて誤り訂正および秘匿性増強を行うことで，BB84は無条件安全性を保証することが証明されている（＊）．ただし，無条件安全性とは，"盗聴者は，物理法則に従う限りいかなる行為も可能であったとしても，共通鍵に関して一切情報を得ることはできない"ことである．

　BB84が無条件安全性を保証することは，前述の2節および3節の知識だけでは証明できない．そのため，より具体的な盗聴行為であるインターセプト・リセン

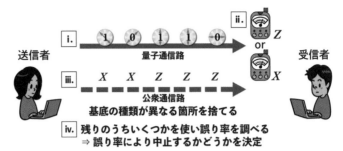

図表18　量子鍵配送

r_i	1	0	1	1	0	1	1	...	0	0	0
a_i	X	X	Z	Z	Z	X	Z	...	Z	Z	X
$\lvert\phi_i\rangle$								...			
b_i	X	Z	X	X	Z	Z	Z	...	Z	X	X
r'_i	1	0	1	1	0	0	1	...	0	1	0
s_t						1		...	0		0

ド(intercept－resend)攻撃に着目し，前述の知識のみを用いて"インターセプト・リセンド攻撃を行う盗聴者を検知する確率をいくらでも1に近づけることができる"ことを示す．

　インターセプト・リセンド攻撃の目的は，量子通信路にて測定を行うことで，受信者が準備したr_iを推定することである．手順は次の通りである．

ⅰ　送信者から送られてくる量子ビット$\lvert\phi_i\rangle$である量子ビット系を量子通信路にて

図19　インターセプト・リセンド攻撃

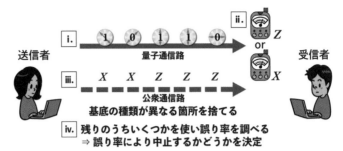

受け取る（インターセプトする）.

ii 受け取った量子ビット系を測定する．このとき，確率pでZ基底の射影測定を，確率$1-p$でX基底の射影測定を行う．測定により得た測定値w_iを，送信者が準備したr_iと推定する．

iii 測定後の量子ビット系を受信者へ送信する（リセンドする）.

　前述の通り，量子ビット$|\phi_i\rangle$がX基底（Z基底）の量子ビットだったとき，盗聴者は，Z基底（X基底）の射影測定を行うと，確率$1/2$で$w_i \neq r_i$となる測定値w_iを得る．一方で盗聴者は，X基底（Z基底）の射影測定を行うと確率1で$w_i = r_i$となる測定値w_iを得る．よって，送信者が選んだ基底と盗聴者が選んだ基底が同じ場合には，盗聴者はr_iを正しく推定し目的を達成する．

　次に，送信者と受信者が盗聴者を検知できるかどうかを，誤り率を評価することにより検討する．送信者がZ基底（X基底）の量子ビット$|\phi_i\rangle$である量子ビット系を送り，盗聴者がZ基底（X基底）の射影測定を行った場合には，受信者は送信者が送った$|\phi_i\rangle$である量子ビット系を受け取る．これは，量子ビットの基底と射影測定の基底が一致していた場合には，測定により量子ビットは変化しないためである．一方で，送信者がZ基底（X基底）の量子ビットである量子ビット系を送り，盗聴者がX基底（Z基底）の射影測定を行った場合には，測定後の量子ビットはX基底（Z基底）のいずれかの量子ビットとなる．そのため受信者は，送信者が選んだ基底とは異なる基底の量子ビットである量子ビット系を受け取ることになる．

　送信者と受信者が選ぶ基底が一致するとき（一致しない場合には，送信者が用意するr_iと受信者が測定により得る測定値r'_iは破棄されるので考える必要はない），r_iとr'_iが一致する確率p_sは，

$$p_s = \frac{3}{4}$$

である．上記の結果は，次の段落で示す通り具体的に計算し求めることができる．ただし，多少煩雑な計算が必要であるため，論理の飛躍をとりあえず許すのならば，次の段落は読み飛ばしてもかまわない．

まずは，送信者がZ基底(X基底)の量子ビットを選び，受信者がZ基底(X基底)の射影測定を行う場合に$r_i = r'_i$となる確率$p_z(p_x)$を計算しよう．このとき，盗聴者が確率$p(1-p)$でZ基底(X基底)の射影測定を選ぶならば，測定により量子ビットは変化しない．そのため，受信者がZ基底(X基底)の射影測定により得る測定値r'_iと送信者が量子ビットを選ぶ際に用いるr_iは確率1で一致する．一方で，盗聴者が確率$1-p(p)$でX基底(Z基底)の射影測定を選んだとき，測定により量子ビットは確率$1/2$で$|+\rangle(|0\rangle)$に，確率$1/2$で$|-\rangle(|1\rangle)$に変化する．このとき，受信者がZ基底(X基底)の射影測定を行うと，確率$1/2$で測定値$r'_i = 0$を，確率$1/2$で測定値$r'_i = 1$を得る．よって，

$$p_z = p \times 1 + (1-p) \times \left(\frac{1}{2} \times \frac{1}{2} + \frac{1}{2} \times \frac{1}{2} \right) = \frac{1}{2} + \frac{1}{2}p$$

$$p_x = (1-p) \times 1 + p \times \left(\frac{1}{2} \times \frac{1}{2} + \frac{1}{2} \times \frac{1}{2} \right) = 1 - \frac{1}{2}p$$

を得る．ただし，各式の中辺の第一項は送信者が選ぶ基底と盗聴者が選ぶ基底が等しい場合に対応し，第二項はそれらが異なる場合に対応している．ここで，受信者がZ基底を選ぶ確率とX基底を選ぶ確率はそれぞれ$1/2$であることを用いると，

$$p_s = \frac{1}{2}p_z + \frac{1}{2}p_x = \frac{1}{2} \times \left(\frac{1}{2} + \frac{1}{2}p \right) + \frac{1}{2} \times \left(1 - \frac{1}{2}p \right) = \frac{3}{4}$$

を得る．

いま，盗聴検知に用いる閾値を$\kappa = 0$とした場合を考えよう．このとき，$\varepsilon = 0$でないならば，盗聴があったとして量子鍵配送をやり直すことになる．定義より，$\varepsilon = 0$が成り立つことは，誤り率$\varepsilon = \#e/\#E$において$\#e = 0$となることと同値である．また，$\#e = 0$が成り立つことは，$\#e$を求める際に$e_j = 1$となる任意のjに対して$\widehat{r_j} = \widehat{r'_j}$が成り立つことと同値である．いま，$e_j = 1$となる$\widehat{r_j}$と$\widehat{r'_j}$に対して$\widehat{r_j} = \widehat{r'_j}$が成り立つ確率は$p_s = 3/4$である．よって，$\#e$を求める際に$e_j = 1$となる任意の$j$に対して$\widehat{r_j} = \widehat{r'_j}$が成り立つ確率(つまり$\#e = 0$となる確率)は$p_s^{(\#E)} = (3/4)^{\#E}$となる．よって，盗聴者が

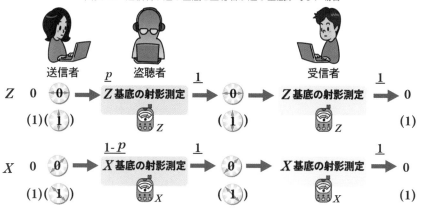

図表20 送信者が選ぶ基底と盗聴者が選ぶ基底が等しい場合

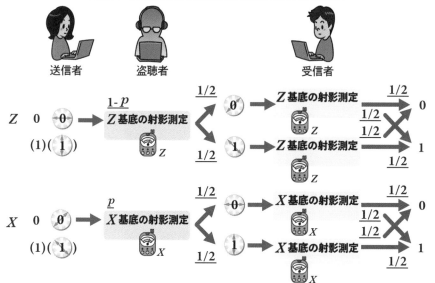

図表21 送信者が選ぶ基底と盗聴者が選ぶ基底が異なる場合

インターセプト・リセンド攻撃を行った場合に，$\varepsilon=0$ となり盗聴者を検知できない確率は $p_s^{(\#E)}=(3/4)^{\#E}$ である．逆に検知できる確率 $p_{Detect}^{(\#E)}$ は，

$$p_{Detect}^{(\#E)} = 1 - p_s^{(\#E)} = 1 - \left(\frac{3}{4}\right)^{\#E}$$

となる.

図表22　検知できる確率 $p_{Detect}^{(\#E)}$ の導出

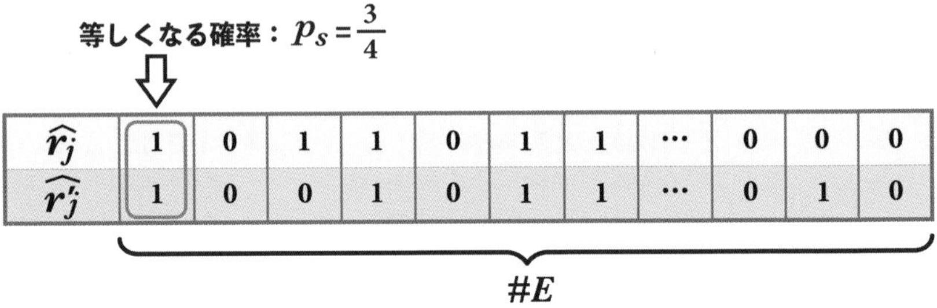

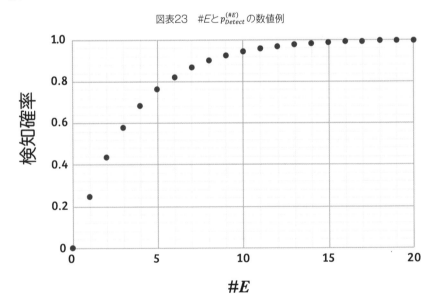

ここで，$p_{Detect}^{(\#E)}$ は $\#E$ の値にのみ依存した単調増加関数であり，その極限は1であることに注意する．よって送信者と受信者がインターセプト・リセンド攻撃を行う盗聴者を検知できる確率は，$\#E$ を大きくすればするほどいくらでも1へ近づくことがわかる．図表23に $\#E$ と $p_{Detect}^{(\#E)}$ の数値例をまとめておく．例えば，$\#E=5,\ 10,\ 20$ とした場合，$p_{Detect}^{(\#E)}$ の値はそれぞれ約0.763, 0.944, 0.997である．

図表23　$\#E$ と $p_{Detect}^{(\#E)}$ の数値例

（2）超高密度符号による通信について

①超高密度符号のための準備

　まずは，超高密度符号による通信を説明するために必要となる2量子ビット，測定，時間発展についていくつか説明する．超高密度符号では2量子ビット系を用いるが，その2量子ビットは，

$$|\Psi_{00}\rangle := \frac{1}{\sqrt{2}}|0\rangle\otimes|0\rangle + \frac{1}{\sqrt{2}}|1\rangle\otimes|1\rangle, |\Psi_{01}\rangle := \frac{1}{\sqrt{2}}|0\rangle\otimes|0\rangle - \frac{1}{\sqrt{2}}|1\rangle\otimes|1\rangle,$$

$$|\Psi_{10}\rangle := \frac{1}{\sqrt{2}}|1\rangle\otimes|0\rangle + \frac{1}{\sqrt{2}}|0\rangle\otimes|1\rangle, |\Psi_{11}\rangle := \frac{1}{\sqrt{2}}|1\rangle\otimes|0\rangle - \frac{1}{\sqrt{2}}|0\rangle\otimes|1\rangle,$$

である．上記の四種類の2量子ビットをBell状態という

図表24　Bell状態

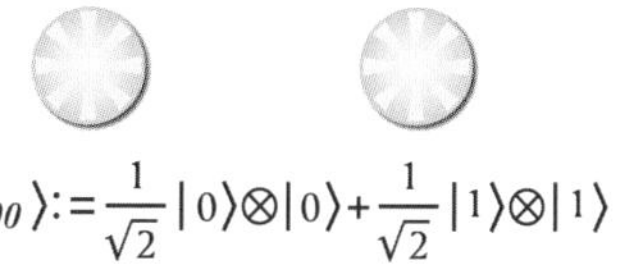

$$|\boldsymbol{\Psi_{00}}\rangle := \frac{1}{\sqrt{2}}|0\rangle\otimes|0\rangle + \frac{1}{\sqrt{2}}|1\rangle\otimes|1\rangle$$

　次にBell測定と呼ばれる測定について，被測定対象をBell状態としたときの測定値とその測定値を得る確率に着目し説明する．いま，$|\Psi_{ij}\rangle$でBell測定を行ったとしよう．このとき，測定値klを得る確率は$|\langle\Psi_{kl}|\Psi_{ij}\rangle|^2$となる（＊）．上記の確率を具体的な内積の計算により求めると，$i=k$かつ$j=l$のときにのみ1となることがわかる．よって，$|\Psi_{ij}\rangle$でBell測定を行うと必ず測定値ijを得る．

図表25　Bell測定

$$|\Psi_{ij}\rangle \qquad \text{Bell} \qquad \Rightarrow ij$$

　次に，$|\Psi_{00}\rangle$である2量子ビット系の片方の量子ビット系（便宜上，左の量子ビットと呼ぶ）を$I, Z, X, -iY$（ただし，iは虚数単位）のうちいずれかのユニタリ行列により時間発展させ，もう片方の量子ビット系（便宜上，右の量子ビット系と呼ぶ）には何も行わない場合を考えよう．これらの時間発展は，

$$I \otimes I |\Psi_{00}\rangle = |\Psi_{00}\rangle, Z \otimes I |\Psi_{00}\rangle = |\Psi_{01}\rangle, X \otimes I |\Psi_{00}\rangle = |\Psi_{10}\rangle, -iY \otimes I |\Psi_{00}\rangle = |\Psi_{11}\rangle$$

により記述される．補足すると，$\otimes$の左のユニタリ行列は左の量子ビット系に対する時間発展を表し，$\otimes$の右のIは右の量子ビット系に対して何も行わないことを表す．また，最初の$I \otimes I |\Psi_{00}\rangle$は両方の量子ビット系に対して何も行わないことを意味する．上記の時間発展は，例えば$X \otimes I |\Psi_{00}\rangle = X \otimes I(1/\sqrt{2}|0\rangle \otimes |0\rangle + 1/\sqrt{2}|1\rangle \otimes |1\rangle) = 1/\sqrt{2}X|0\rangle \otimes I|0\rangle + 1/\sqrt{2}X|1\rangle \otimes I|1\rangle = 1/\sqrt{2}|1\rangle \otimes |0\rangle + 1/\sqrt{2}|0\rangle \otimes |1\rangle = |\Psi_{10}\rangle$と具体的な計算により確かめることができる．

図表26　Bell状態の時間発展

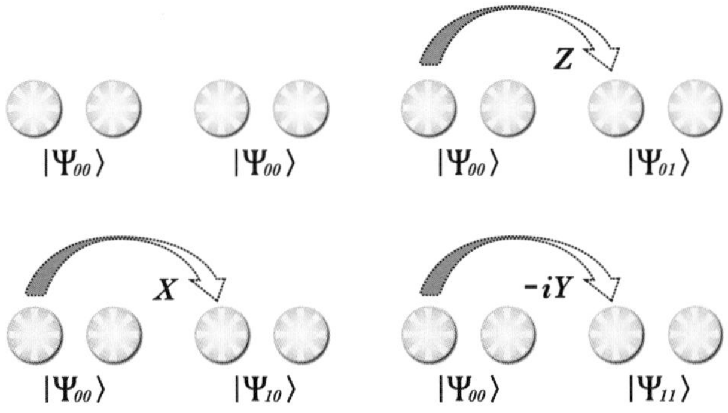

②超高密度符号による通信

　具体的な通信の手順は後で述べるが，超高密度符号による通信を行うことにより，送信者は1量子ビット系を用いて2ビット（ビット列：$P = p_1 p_2$，ただしp_iは0または1）の情報を受信者へ伝達することができる．よって，この通信を送信者がn回行うと，n量子ビット系を用いて$2n$ビットの情報を受信者へ伝達することができる．

　超高密度符号による通信を行うには，送信者と受信者の間に量子ビット系を送信するための量子通信路を整備する必要がある．また，通信の前に送信者と受信者はBell状態$|\Psi_{00}\rangle$である2量子ビット系を共有する必要がある．ここで共有とは，送信者はBell状態$|\Psi_{00}\rangle$である2量子ビット系の左の量子ビット系を保持し，受信者は右の量子ビット系を保持することである．具体的な通信の手順は次の通りである．

i 送信者は，受信者へ伝達する2ビット$P=p_1p_2$を準備する．そして保持している量子ビット系を，$P=00$ならばI，$P=10$ならばX，$P=01$ならばZ，$P=11$ならば$-iY$により時間発展させる．このとき，受信者は何もしないことに注意すると，Bell状態$|\Psi_{00}\rangle$は$P=p_1p_2$に応じて$|\Psi_{P_1P_2}\rangle$となる．上記の手順による時間発展を超高密度符号における符号化という．

図表27　超高密度符号における符号化

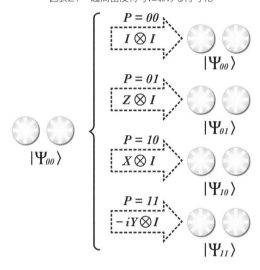

ii 送信者は，量子通信を用いて保持している量子ビット系を受信者へ送る．

iii 受信者は送信者から量子ビット系を受け取る．そしてBell状態$|\Psi_{P_1P_2}\rangle$である2量子ビット系でBell測定を行い，測定値p_1p_2を得る．上記の手順により測定値を得ることを超高密度符号における復号という．

図表28　超高密度符号における復号

　上記の超高密度符号による通信を簡単に総括しておく．送信者は，受信者へ伝達したい2ビットを準備する．そして，その2ビットに応じて保持している量子

ビット系を時間発展させて符号化を行う．符号化を行った後，量子通信路を用いて量子ビット系を受信者へ送る．受信者は量子ビット系を受け取った後，その量子ビット系と保持していた量子ビット系でBell測定を行い測定値を得ることで復号を行い，送信者が準備した2ビットを得る．上記の手順において送信者は，1量子ビット系を受信者へ送ることで，2ビットの情報を受信者へ伝達する．そのため，送信者が2nビットの情報を受信者へ伝達伝したい場合には，上記の手順に従いn量子ビット系を受信者へ送ればよい．

図表29　超高密度符号による通信

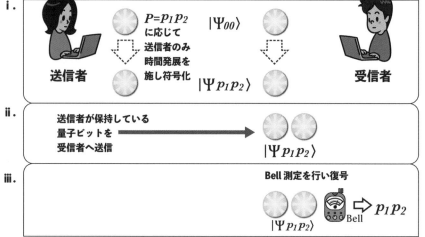

送信者と受信者によるBell状態である2量子系の共有について補足しておく．通信の前に，送信者は片方の量子ビット系を保持し，受信者はもう片方の量子ビットを保持する必要がある．このとき，送信者と受信者がそれぞれ量子ビット系を準備し，それぞれ独立に量子的操作(時間発展や測定など)を行うだけでは，2量子ビット系はBell状態にならないことが知られている(＊)．

簡単に思いつく共有方法は，送信者がBell状態である2量子系を準備して，量子通信路を用いて片方の量子ビット系を受信者へ送る方法である(送信者と受信者の役割が逆でもかまわない)．このとき，超高密度符号による通信とあわせると送

信者は受信者へ2量子ビット系を送ることになる．ただし，最初に送られる量子ビット系に関しては，受信者はBell状態である2量子ビット系の片方の量子ビット系であることを受け取る前から知っている．そのため，送信者から受信者へ情報が伝達されているわけではない（受信者は送信者から量子ビット系を受け取るだけで何も新たな情報を得ていない）．よって，前述した通り符号化を行った1量子ビット系の送信により（このとき受信者は2量子ビットがどのBell状態になっているのかわからない），2ビットの情報伝達が可能であるといえる．

シリーズ「大学と地域」刊行にあたって

プロジェクトチーム

古河 幹夫　　三戸　浩　　綱　辰幸

村上 雅通　　永野 哲也　　田中 一成

　かつて地方の若者が都市部に職と希望を求めて引き寄せられていった時代があった. 明治時代から日本が近代国家をめざして権限と資金と人材を東京に集中させ, 全国がその方向に従ってきた. だが, 経済発展を遂げモノが溢れる時代を迎えて, 人々は経済よりも文化や人とのつながりに, 開発よりも馴染んできた生活様式への回帰に, スピードと競争よりも緩やかに流れる自然のリズムに心を惹かれつつあるのではないか. 地域創成には各地方の切実な願いが込められているが, 時代の底流での変化をも見る必要があるだろう.

　地方に存在する大学には地域創成にさいして「知」の中心になることが期待されている. 大学はユニバーシティと称されるが, ユニバースは「世界」を意味する. その世界とは広くは宇宙のことであり, ビッグバンによる宇宙の始まりから生命の誕生, ヒトが出現し幾多の工夫・発明, 争いと社会統合を経てこの地球で繁栄するにいたり, さまざまな宗教と言語をもった地域・国々を擁する現在の世界である. 異なる文化間の相互理解は進みつつあるとはいえ, 文明的な収斂の方向とアイデンティティへの固執との相克に世界は苦悶しているかに見える. 大学とはこのユニバースの秘密, 人間にかかわるすべてのことを考察・究明し, より良い社会のありようを議論する場であった.

　今日, 大学は必ずしも学問・研究だけの場所ではない. 18歳人口の過半数が大学に進学する時代において, 職業につながる知識・技能, 思考力やコミュニケーション力などを養う場所でもある. しかし, 何らかの専門領域に関する基礎的知識

を習得することで，知の領域の宏大さと深さへの関心を培ってほしいと大学教員は願っている．

　長崎県立大学は学部学科改組を行い，今や5学部9学科を擁する九州でも有数の公立大学である．「大学と地域」と題するシリーズにおいて5つの学部がそれぞれ書籍を刊行することになった．各学部の研究内容をわかりやすく紹介している．長崎の地に根差した知の創造を志向するものも，また大都市の大学に負けない普遍的な研究を志向するものも含まれている．高校生や大学生の知的好奇心を喚起し，県立大学で皆さんと共に知を探究する議論ができることを期待している．

長崎県立大学 情報システム学部『変化する情報技術と社会』執筆者紹介

永野　哲也（長崎県立大学 情報システム学部 情報セキュリティ学科 教授）

　　　　　情報セキュリティ学科学科長. 微分幾何学を専門とし, 大学では数学, 情報数学, 微分
　　　　　積分学などを担当. 1999年4月に県立長崎シーボルト大学情報メディア学科助教授として
　　　　　着任. 2016年4月から2018年3月まで長崎県立大学情報システム学部学部長を務める.

穴田　啓晃（長崎県立大学 情報システム学部 情報セキュリティ学科 教授）

　　　　　日本電気株式会社にて通信の誤り訂正符号化の研究開発及び飛翔体の高信頼性品質
　　　　　保証, 公益財団法人九州先端科学技術研究所にて情報セキュリティの研究及び産学
　　　　　官連携に従事後, 現職.現在, 計算機科学及び暗号学の教育と研究に注力しており, 授
　　　　　業では情報理論, 暗号理論などを担当している.

金谷　一朗（長崎県立大学 情報システム学部 情報システム学科 教授）

　　　　　1999年奈良先端科学技術大学院大学情報科学研究科博士課程修了.JSTさきがけ研
　　　　　究員, 大阪大学准教授等を経て, 2015年長崎県立大学教授.2009〜2012年JAFOE運
　　　　　営委員長.専門は芸術, デザイン, 文化的造形物の数理学的理解.

平岡　透（長崎県立大学 情報システム学部 情報システム学科 教授）

　　　　　地理情報処理, 画像処理, 地域防災, 地域活性化を専門とし, 近年はノンフォトリアリス
　　　　　ティックレンダリングの生理心理評価の研究に取組んでいる. 大学では「データベース論」
　　　　　「Webシステム設計論」,「オペレーションズリサーチ」を担当. インターンシップ等実践科
　　　　　目の指導・サポートも実施している.

辺見　一男（長崎県立大学 情報システム学部 情報システム学科 教授）

　　　　　ヒューマンインタフェース, 画像処理を専門としている. 近年は, 高齢化社会に対応するた
　　　　　めの「高齢者の生活支援システム」や「リハビリテーションシステム」の研究にも取り組んで
　　　　　いる. 大学では,「ヒューマンインタフェース」,「コンピュータグラフィクス」,「オペレーティン
　　　　　グシステム」を担当している.

松崎　なつめ（長崎県立大学 情報システム学部 情報セキュリティ学科 教授）

　　　　　パナソニック株式会社にて, 放送やメディア, 家庭内ネットワークの著作権保護の主に暗
　　　　　号技術開発と標準化活動の業務他, HEMS等各種システムの暗号技術開発の業務に
　　　　　従事後, 現職.現在, プライバシ保護やブロックチェーンなど暗号を応用したシステムの研
　　　　　究と教育に注力しており, 授業では暗号技術, データセキュリティなどを担当している.

山口　文彦（長崎県立大学 情報システム学部 情報セキュリティ学科 教授）

　　　知能情報学・計算機科学・自然言語処理を専門とし，大学ではプログラミング関連の授業
　　　を複数担当している．国際大学対抗プログラミングコンテストの日本国内における予選会
　　　の審判，およびパソコン甲子園のプログラミング部門審査委員を務める．

片山　徹也（長崎県立大学 情報システム学部 情報システム学科 准教授）

　　　デザイン学及び人間工学的視座に基づき，VDT画面やグラフィックデザインにおける色
　　　彩情報がユーザビリティやアクセシビリティ，人間の生理心理反応へ及ぼす影響について
　　　研究している．大学では「情報デザイン論」「色彩学」「グラフィックデザイン」「Webデザイ
　　　ン演習」を担当．

松田　健（長崎県立大学 情報システム学部 情報セキュリティ学科 准教授）

　　　数学・数理情報学を専門とし，その応用としてセキュリティ・医療情報などの研究やそれら
　　　に関連する人材育成事業に従事．

吉村　元秀（長崎県立大学 情報システム学部 情報システム学科 准教授）

　　　観光情報学を専門とし，「ヒト」，「コト」，「モノ」の連動をスマート化するシステムの研究・
　　　開発を行っている．大学では，プログラミング基礎演習，データ構造とアルゴリズム，知能
　　　情報学，可視化情報学などを担当．写真展や番組制作の企画・運営なども行う．

吉田　雅一（長崎県立大学 情報システム学部 情報セキュリティ学科 講師）

　　　量子情報理論を専門とし，主に量子推定，量子誤り訂正符号の応用，量子暗号に関して
　　　研究している．大学では「データ構造とアルゴリズム」，「コンピュータアーキテクチャ」を担
　　　当．主要業績にPhysical Review. A 91, 052326がある．

シリーズ「大学と地域」5

変化する情報技術と社会
―情報システム学部―

発 行 日	初版 2020年3月2日
著 者	長崎県立大学情報システム学部編集委員会
発 行 人	片山 仁志
編 集 人	堀 憲昭　川良 真理
発 行 所	株式会社 長崎文献社 〒850-0057 長崎市大黒町3-1　長崎交通産業ビル5階 TEL. 095-823-5247　FAX. 095-823-5252 ホームページ http://www.e-bunken.com
印 刷 所	オムロプリント株式会社